JN040402

LUKE MAGAZINE | SECOND ISSUE

Hello, Work!

僕たちの仕事論。

不確実な時代の「仕事」について。

ハンケチ、ハナガミ、カネタバコ。

会社に出かける前に、父親が毎日玄関で唱えていた言葉。僕はその響きが大好きだった。今日も父親が僕の知らないどこかの仕事場に向かい、汗をかいて仕事をして、僕らの生活を守ってくれている。毎朝必ず聞こえてくるその不思議な呪文が、いつでも僕を安心させてくれていたのだ。

大人になれば、誰もが社会のために働く。子供の頃は、そんな未来の自分を信じて疑わなかった。でもすっかり大人になった僕といったら、仕事をする意味そのものにさえ迷い続ける日々だ。ある朝突然モチベーションがむくむくと湧き上がり、僕を力強くゾーンへと連れて行ったかと思えば、「あれっ」という感じで一瞬のうちに月曜が大嫌いになったりもする。はっきりわかっていることは、仕事というものが、自分にとって心地いいテクスチャーばかりじゃないということくらいだ。

仕事とは「誰かにとって価値があるサービスを生み出して対価をいただく」行為だ。だから世の中が成熟すればするほど、価値を生み出すことは難しくなる。なぜなら現代は「生活」する上での最低限の欲求というものがほとんど満たされているから。思いつきやアイデアを単に形にしただけでは、新しい価値は生み出せないのである。だとしたら物質的には信じられないほど豊かになったこの時代において、仕事をする上で一番必要なスキルは「主体性」なのだと思う。だって自らが何も思考することなく、誰かに言われるがままに目の前のことだけに向き合っていたら、どんな仕事も苦しくなる一方だし、今の自分が正しい居場所にいるかどうかさえわからなくなってしまう。

今回取材した21人のサーティーエイジャーズたちは、その全員が仕事について自分の言葉で話し、自分の頭でイメージし、自らの責任でトライし続けている。なによりも、「自分にとって」ではなく「誰か」にとって価値のあることをする、それが彼らが仕事をする意味なのだ。お金のためではなく、自分という人格が今の時代を生きる意味を証明するために。

世界がどれだけ大きく変わっても、自分らしく働けているかどうかは、結局のところ現在地において自分自身が「主体的」であるかどうかに尽きるのだ。この不確実な時代に「仕事」について改めて考えたこの号は、日本中のサーティーエイジャーズのために綴る、自分と仕事の正しい関係性を紐解くためのライナーノーツである。

ハンケチ、ハナガミ、カネタバコ。

僕はいま、自分らしく働けているだろうか。あの日の父親のように。

——LUKE MAGAZINE編集長 須藤 亮

目次

Push & Pour Coffeeオーナー
ルーカス・エルレバッハ

＊インタビュー記事は2021年5月中旬〜6月初旬にかけての取材をもとに構成しております。

OUR ASSOCIATES

TOWER RECORDS

1

研究がつなげた
3つの道で、
アートを開かれたものへ。

美術館研究員・大学講師・ライター
浅野菜緒子

講師、ライター、憧れだった美術館研究員。三足のわらじを履いて

メインの仕事は3つあって、大学講師、ライター、そして美術館の研究員をしています。大学では語学や専門分野にかかわる授業を受け持ち、ライターとしてはアートについてメディアに寄稿しています。どちらも自分の専門である文学と美術の研究がベースになっています。講師は母校の繋がりで仕事をいただいたり、ライターはインターンをしていた雑誌でお話をいただいたりと、人との繋がりの上で成り立っている仕事です。美術館の仕事でも、いろいろな人とのご縁を感じています。

美術館の研究員として勤め出したのは、コロナ禍の2020年4月からです。美術館の仕事は以前からずっと興味があって、公募が出たタイミングで応募してみたら、幸運にも採用していただけました。ただ、美術館の休館が続き、通常業務にも色々と変化が生じたため、正直な話をすると本来なら1年目で学んでおくべきことや積んでおくべき経験が十分にできていないように感じています。

今は主に渉外窓口を担当しており、他館への作品や作品画像の貸し出しについてやり取りをしています。例えば、自館で所蔵する作品を貸し出す場合には、作品保護のために厳重な梱包が必要ですし、輸送時や移動先の環境にも細心の注意を払う必要があります。作品のこうした点を念頭において文書を取り交わしたり輸送スケジュールを組んだり、というような渉外的なやりとりがメインです。今は特に立ち会う人数が制限されているので、人員のいない中でいかに作品を安全に運ぶかを考慮しなければいけません。

もう一方で、広報のような役割も担当しています。もちろんいわゆる「展覧会を企画して作っていく」という学芸的な仕事にもいつか携わりたいと思っていますが、私が所属する美術館はこれまで広報的な活動がそれほど活発ではなかったので、こうした新しい分野の仕事を担当できることもありがたいです。素晴らしい展覧会の企画を作ったとしたら、「何をどんな人にどう伝えていくのか」という広報機能も大切ですから。それは美術館で働く前から感じていたことでした。今は自分が立ち上げたSNS起点のプロジェクトを少しずつ進めています。まだ始まったばかりの仕事なので、ゆくゆくはメディアや対外的なサービスと自館を繋ぐリエゾンのような役割を担っていけたらと思っています。

何が向いているかを探すために仕事をしている

大学講師、ライター、美術館研究員と3つの活動をしていますが、究極にやりたいことや、これからどうなりたいかと問われたら、正直わからないんです。何が向いているのか

がわからないからこそ、それを探すために仕事をしている感じですね。でも、勉強も仕事もそれでいいと思っています。思えば、就活などで自分のやりたいことや、強みやゴールなど、いろんな人に聞かれて自分なりに考えていましたけど、今思えばそんなのわからないよ！って（笑）。それを見つけるための学校や仕事だと思うんです。そこでゴールを変えてもいいし、見つからないなら見つからないままで生きていくのもいいと思うんですよね。大学講師、ライター、美術館研究員という仕事は一見ばらばらなようですが、実は自分がずっと続けてきた研究がそれぞれを繋げていて、影響し合って、どれも自分の選択の上で成り立っているんです。どれもまだまだ能力が足りていないのかもしれないけれど、複数のことにバランスをとりつつ取り組んでいくのが自分のスタイルでもあるなと今は思います。

互いに「尊重し合える」環境に身を置く

美術館への転職を決めた理由としては、たまたま公募のタイミングが合ったことが大きいですが、常に自身のステップアップを考えていることも影響しています。自分の履歴書を見直したときに、「どこにいたか」よりも「どこでどんなことをしたか」をちゃんと話せることがすごく大事だなと思っています。前職では全く畑違いの分野で仕事をしていて、それはそれでとても楽しかったのですが、自分のキャリアを考えたときに辿り着いたのは、シンプルに「もっと好きなことをしよう」ということでした。美術館への転職は、美術への純粋な「好き」という気持ちと、自分の一番ベースにある研究内容、そしてタイミングが一致したという感じです。転職活動で大切にしている考えは、決断に責任を持てるのならば、どんどんチャレンジした方がいいということ。結局、人のアドバイスは人のアドバイスだし、自分が納得して、責任を持って決断することが何よりも大切だと思います。それで後に戻ることは全然恥ずかしいことじゃない。あとは、自分が今まで培ってきたスキルを生かせる仕事かどうかを見極めること。誰かの得意なスキルや専門性ばかりを搾取するのではなくて、互いの強みや個性を尊重しあえる環境や人間関係が理想だなと思います。例えば、「翻訳が得意な人には翻訳だけやってもらえばいい」といった感じで、その人に成長の機会を与えることもなくただスキルを搾取するような環境なのだったら、そこにいる必要はないと思います。

選択できる自由と、「やれることをやっておこう」の精神

ちょうど転職した時期がコロナ禍でしたが、「やりたいことをできるときにやっておこう！」と思ったんですよね。コロナだけじゃなくて人生いつ大変な状況になるかもわか

らないし。例えば、「旅行に行ける」というオプションがあって、「行かない」という選択ができるのが自由。選択ができない、自由が閉ざされた状況の今、「やれるときにやっておこう」とシンプルに思いました。

それに、これは自分が年齢を重ねたこともあるかもしれませんが、やりたいこととやりたくないことに声をあげられるようになったと思います。今まで遠慮して言えなかったことも「今やれることをやっておこう」の精神で発言していたら、意外と聞き入れてもらえるんだ！ということがわかったんですよね。なので、この1、2年は、自分の意思や思想に反することに対しては、きちんと意見するようにしています。

美術館のコミュニケーションがオフラインからオンラインに

コロナによって、美術館のあり方も変わってきているように思います。美術館のオンラインでのコミュニケーションの可能性がどんどん広がっているなと。今までは、オンラインでのコミュニケーションやデジタルマーケティング的な考え方は、重要ではあるけれど「やらなきゃいけないもの」ではなかったし、プライオリティの低いものだったように思います。一鑑賞者として外から見ていても、「オンラインでもっと色々な作品を観られたらいいのに！」と感じていたんですね。実際に中に入ってみても、十分にオンラインを活用できていない現状があって。しかしコロナで美術の世界も大きく変わりだし、特に海外の美術館はデジタルに本腰を入れ初めたのがよくわかります。デジタルの広報チームを立ち上げた美術館も多くあって、美術館の活動や教育普及のためにはデジタルの力が欠かせないんだという共通認識がなんとなくできたように感じました。そういった価値観の変化が少しずつ起こってきて、先日個人的にやりたいと思っていたSNS関連の企画案を出したら、「やってみて」と言われました。きっとコロナにならなかったら、「もう少し時間をかけて検討しましょう」とか「様子をみましょう」ってなっていただろうなと(笑)。

デジタルのおかげで、鑑賞方法が多様に

世界中で美術館が休館を余儀なくされた状況の中で、世界各国の美術作品をオンラインで鑑賞できるGoogle Arts & Cultureというデジタル美術館や、ルーヴル美術館をはじめ複数の館が所蔵作品を無料公開したニュースが注目を集めました。このようなサービスは、芸術作品はみんなのもので誰もがアクセスできるようにすべき、という強い考えが背景にあると思うのですが、それを実現できるデジタルの力があるのがすごいなと思いました。私はイギリスの美術研究をしているので、英語の文献や資料に頼ることも

多いのですが、海外ではデジタルアーカイブ化がどんどん進んでおり、現地へ行かなくてもオンラインで情報が開示されていて、どこにいてもアクセスできることへの恩恵を身をもって感じていて。こうやって簡単に海外へ行けない状況になっても、世界中の人が情報を共有できるのはオンラインの強みですよね。

実際に美術館で作品鑑賞する体験は何にも替えがたいものですが例えばGoogle Arts & Culture のデジタル美術館のように、色や素材、技法などでキーワード検索できるような、オンラインならではの見せ方もある。美術館へ行くと、アートに近寄って触れることはできないですよね。でも「これ触ったらどんな感じなんだろう?」と思うことは私自身よくあるし、アーティストも本当は触って欲しい、じっくり見て欲しいと思っていたかもしれない。保存の観点で言えば不可能ですが、オンラインなら細部までクローズアップして見ることができます。デジタル技術によって鑑賞体験がどんどん多様化しており、可能性を感じています。

アートを「開かれたもの」に

美術館を「開かれた場所」として発信していきたいという思いがあるんです。これだけＳＮＳやデジタルでの情報交換が生活の主軸になっている今、独占的であることにもはや価値はないのかもしれないですね。ファッションショーも、最近はその場に行かなくてもリアルタイムで見られますし……。特別感がなくなったことに対して嘆く声ももちろんあるけれど、情報が何より価値をもつ時代、地球上でどこにいようと同じ情報にアクセスできるのはフェアなことだなと思います。もちろんデジタル格差や情報格差の問題はあるにせよ、文化資産や、多くの人の心を豊かにし、時に対話をもたらす美術作品は、誰にでも鑑賞するチャンスがあるべきだと思います。それを「わざわざここにしかなくて、ここでしか見れません」というのは違うなって。アートはどんな人にも開かれるべきで、その意味でもデジタルは有効なんじゃないかと思います。それに、このコロナ禍に、ジェンダーや人種問題を始め、少しずつマイノリティの声にも目が向けられるようになったので、そういう声が美術の世界でも積極的に反映されて欲しいです。私自身は研究者として、美術作品や美術館が多くの人にとってより開かれたものになるようにこれからもっと勉強していきたいと思っています。

1989年、東京都生まれ。美術館研究員、大学講師、ライター。ロンドンにて修士号を取得後、東京を拠点にイギリス文学と美術の研究に取り組む。主な専門はシェイクスピア戯曲とラファエル前派絵画。博士(文学)。
INSTAGRAM @naokoasano | @art_by_naoko (趣味のアートアカウント)

the moment.

働く現場。

KEIGO TATSUMI

家の中でも外に出ても、目につくもの総てが数多の人の仕事によるもの。起きて顔を洗った洗面台の形、コップに注いだ牛乳パックのフォント。見えない誰かが関わった仕事によって、僕らの生活は成り立っている。与え、与えられる関係性でいたい。

巽 啓伍／1990年、兵庫県生まれ。バンド never young beachのベーシスト。バンド活動と並行して写真家、映像作家としても活動中。

2

「この仕事が好きだから
やってます」と、
胸を張って言えるような
人生を送りたい。

フリーター
荒田研成

地元のお店に憧れて、飲食店への道に進む

渋谷のブルーボトルコーヒーでアルバイトをしています。もともと飲食店に興味があったんですが、そのきっかけのひとつが地元のバーでした。とにかくめちゃくちゃカッコよくて、友達と何度も遊びに行くうちに、いつか自分もこんな感じのお店を開きたいと思うようになりました。そこで、まずはとりあえず飲食店でバイトをしてみようと、最初に働き出したのが四谷のビアパブでした。確か20歳くらい。その次に2年ほどカフェで働いてたときに、四谷のビアパブ時代の副店長に「新しく店やるから手伝ってよ」と誘われて、東京駅のバーでも働くことになったんです。ただ、当時は働いていたカフェでそのまま社員になるつもりだったのですが、カフェが閉店してしまって……。バーも辞めてたので、半年間ニート生活でしたね。

さすがに何か仕事しないと、といろいろ考えました。とりあえずビールのお店はある程度経験したから、次はハンバーガーのお店で働いてみたいと思って、原宿のHohokam DINERで働いたんです。ビールとハンバーガーとコーヒーが好きだったんです。職場も良い人ばかりで、何不自由なく楽しく働いてたのですが、半年経った頃、またも四谷時代の副店長から「目黒でビアパブやるんだけど、研成どうかな?」と誘われて(笑)。Hohokamで働いてまだ半年だったからかなり悩みましたが、最終的にその目黒のお店で働くことにしました。そこで副店長として店の立ち上げから携わり、約4年間働きました。

夢だった海外旅行への計画が、コロナで水の泡に

目黒のお店にはいろいろな思い出がありますね。店はカウンター席がメインだから、お客さんとの距離が近い。そうなると働いているスタッフ目当てのお客さんもいらっしゃるんです。特に店長に会いに足を運んでくるお客さんが多かった。それはとてもありがたいことなのですが、店として考えたときにそれだけじゃよくない感じがあったんです。「じゃあ店長がいなかったらそのお客さんは来ないのかな?」と。でも店を長く続けていくにつれ、自分やアルバイトのスタッフがカウンターに立っていても、普段と変わらずお店を利用してくださるお客さんが増えてきたんです。このお客さんは個人のつながりだけじゃなく、店の雰囲気やクラフトビールそのものが好きで来てくれてるんだなと実感しました。そのこと自体は別に僕自身の力ではないのだけれど、「店」としてきちんと成り立ってるんだなっていうのを感じることができて本当にうれしかったですね。僕個人としても、特定の個人ではなく、店そのものの魅力で成り立っているお店って素敵だなと思いました。

オープンして3年経った頃、外国人のお客さんが急に増

えてきたんです。周辺に外資系の会社やビジネスホテルが多かったですからね。店にはモニターがあったから、サッカーやラグビーのワールドカップが開催されたときはとにかくすごい盛り上がりでした。僕自身も外国人のお客さんと話す機会が増えていくうちに、自分も「海外に行ってみたい」という気持ちが強くなってきたんです。7年近く飲食店で働いてきたけれど、自分はこの先もずっと飲食店で働くのだろうかと自問自答して。それで「とりあえず一度海外に行って、いろいろな世界を見てこよう」と決心したんです。それから1年間お金を貯めて、２０２０年の夏に出発しようと計画して、5月には店を辞めると宣言していたのですが、突然のコロナ禍ですべての計画が崩れてしまいました。

仕方なく海外に行くのは一旦諦めました。それから「どうしようかな」と改めて考えたんですが、4年間ほとんど休みもなくがむしゃらに働いてきたし、ちょっと休もうかなと。それから、将来のことなんかをぼんやりと考えながらしばらくゆっくりしていました。そんなときに、Hohokamでお世話になってた先輩から「店やってるから手伝ってくれない?」と連絡をいただいて、2~3ヶ月くらい仙台で先輩のお店のお手伝いをしてました。年末に東京に戻ったときには既に失業保険も終わっていて、そろそろ身の振り方を考えないといけなかった。そこで、よく考えてみたら「自分の需要」って一体どんなところにあるんだろうと、ちょっと転職エージェントに登録してみたんです。そうしたら営業職や運送業といった、自分にとってあまり興味のない業界しかヒットしない。とはいえ、仕事をしないといけない焦りもあったし、とにかくいろいろな会社を受けてみたのですが8割は落ちて、2割は話はしてみたけれど自分に合わないみたいな感じだった。新しいことを始めるなら自分はもう20代最後だし、暇がゆえにあれこれ考えてしまって、とにかく不安と焦りでいっぱいでした。ずっと飲食店だけで働いてきた自分の需要というのは、実際のところそんなものなんだって改めて気付かされました。

どん底を経験したからこそ、感じたこと

いろいろ悩んで、今まで培ったものを捨てて、真っさらで新しいことにチャレンジするのもいいなと、プログラミングをやってみようかなと本気で思ったりもしました。だけど、果たして本当にそれでいいのかと自問自答する毎日でした。自分はどう考えても人と話すことが好きだし、やっぱり人とつながれるような仕事がしたかった。自分が憧れる仕事って何だろうと考えてみたときに、イギリス人の旦那さんと日本人の奥さんの2人で経営している地元のコーヒーショップがひとつの理想の形だと感じたんです。そのお店は週に3日くらいしかオープンしてなくて、きっと他に軸となるような仕事があって、それとは別に

コーヒーショップも経営してるのかなと。目黒のお店で目まぐるしく働いていた自分からみたら、その感じってすごく余裕があるなと感じました。人生の軸はしっかりあって、その上で余裕がある感じ。その雰囲気に憧れるようになったんです。ひとつのことに対して100%過ぎない感じというのでしょうか。もちろん何かに100%全力で向き合っている人もすごいと思いますが、軸が2つあることの良さもあるんだなと。それで僕も、「とりあえず本当にやってみたいことをやってみよう」と、今のお店で働かせていただくことにしたんです。今はそこでコーヒーの勉強をしながら、もうひとつ、コーヒーとはまったく別のことをできたらいいなと考えていて、それが何なのかを探してる最中です。

自分がずっと働いてきた飲食業界は、コロナ禍で一番打撃を受けてる業界のひとつです。今までずっと自分が憧れていた世界が、たったひとつのウイルスによって崩れ去りそうになっている。「ああ、こんなにも脆いものなんだな」と感じました。もちろん業界を一括りにはしてはいけないですけどね。働いていた目黒のお店もいろいろ困難もありましたが、大きな赤字もなく4年間順調に営業していました。でも、この急激な変化で、うまくいっているお店だって安心できないと感じたのも事実です。そんなこともあって、コロナをきっかけに僕の中に「生活の軸は複数あったほうがいいのかも」という価値観が生まれました。

理想のお店があって、そこに自分の好きなものがあること

今の仕事を始めたばかりなので、「やりがい」とか「大変なこと」はパッと出てこないです。でも接客という仕事そのものは、やっぱりお客さんからダイレクトに反応が返ってくるからその部分でのやりがいがありますね。自分が手を抜けばそれがそのまま相手に伝わるし、気合いを入れて仕事したらそれに応じて返ってくる反応が全然違う。だから、お客さんにいい反応をしていただけたときはとても嬉しいですね。

飲食で働く人には2種類いると思っています。提供しているもの自体に惹かれるタイプか、店の雰囲気や人に惹かれるタイプかです。例えばコーヒー屋なら、コーヒーが好きで始める人もいれば、店の雰囲気や人が好きで、提供しているものがたまたまコーヒーっていうパターンもある。僕はどちらかというと後者です。とにかく人が集まる「場」の雰囲気作りをするのが楽しくて、取り扱っているのがたまたまコーヒーやビールなんです。もちろん、店の雰囲気を作るために、取り扱うものについての深い知識は絶対に必要な要素なので、そこは今のお店で働きながらコーヒーのことを日々勉強しています。

飲食店のオーナーになるなら、それぞれ自分が大切にし

たい店の世界観があるはずですが、客商売だから当然、その世界に合わない人もいらっしゃいます。そういうお客さんをどう受け入れるか、というのがこの業界の大変な部分でもありますね。僕たちはお客さんを選ぶことはできないし、どんなお客さんが来ても、何よりもお店を好きで利用してくださってるお客さんを守らないといけない。そういうジレンマの中でどうやって自分が表現したい店作りをしていくかが一番大変かつ、大切なことだと思いますね。

それと、接客業というのは「初めまして」のプロセスを何度もする仕事です。男性に対しても、女性に対しても「どこからいらっしゃったんですか?」とか、モニターでサッカーの試合を見ているお客さんなら「サッカーお好きなんですか?」みたいな。そういうちょっとした会話でお客さんとコミュケーションを取りながら、そのお客さんとの距離感を探るんです。だから、休みの日に気の置けない友達と何もしないで過ごす時間が、自分の中でリフレッシュできる瞬間で、休日はいつも誰かに会うようにしていました。

今の自分が楽しく満足できているかが大事

ビアパブ、カフェ、ダイナーと、いろいろなお店で働いてきましたが、振り返ってみると、いつも誰かに誘っていただいたことをきっかけに新しい仕事につくパターンが多いですね。Hohokamで働いていたときに次のお店に誘っていただいたときは、かなり悩みました。一番相談していたのは4つ上の姉でしたが、Hohokamのスタッフにも正直に相談したりしていました。今思えばあのタイミングで転職をして良かったと思っています。そのタイミングというのは決して偶然ではなく必然だったのかなと。お客さんやスタッフを含め、本当に「人」に恵まれていたんです。周りの人たちといい関係でいられたからこそ、自分が一緒に働きたいと思う人から声を掛けていただけたし、自分もその期待にに応えたいと思えたんですね。

いろいろと転職したことは間違ってなかったと思います。本当にいろいろなことを勉強できたし、たくさんの素晴らしい出会いもありました。もちろん辞めずに続けていた場合を知らないから、何とも言えないですが、それよりも今の自分が満足して楽しんでいられるなら、過去の選択はすべてよかったと思えるというか。だけど、今の自分が腐ってたら、過去を後悔したくなる。「あのときああしていればよかった」とか。無職のときは正直そんな感じだったこともあります。でも今は少しずつ変わってきています。

仕事がないときに感じたのは、考える時間が長ければ長いほど、どんどん泥沼にハマっていくということですね。考えることはもちろん大事だし、未来からきっちり逆算して人生を設計するに越したことはないけど、自分はそこまで器用なタイプじゃなかった。だからいろいろ考えるよりも、とりあえず今やれることをやるしかないということを学びました。仮に理想の人生設計があっても、コロナ禍でそれがあっという間に崩れた人もいる。将来何があるかなんてわからないですから。もちろん先を見据えることは大切だし、そういうことが得意な人もいますが、「理想の自分」と「現実の自分」のギャップというのは誰にでも必ずあるから、個人的には未来のことにシビアになりましたね。自分に自信がない人はとにかく、とりあえず今やれることに全力で取り組んだ方がいいと思います。

「もう一つの軸となるもの」を見つけながら、今を生きる

そんな感じなので正直、将来のことはまだ考えられていません。今はコーヒーのことを勉強しながら、自分ががむしゃらになれるもうひとつの軸となるものを見つけていきたい。自分のお店を出すことに憧れはありますが、「何が何でも」という感じは今のところないですね。それよりも、いつまでも「夢中で」何かをしていたい。それは別にどんなことでもよくて、そのときそのときで夢中になれてるものが全然違ってもいいと思うんです。つまり、いくつになっても「僕は、これをやりたくてやっています。これが好きだからやっています」と言えるようになりたいんですね。そのときの自分が本当に好きなことと人と関われる場のふたつを、上手く掛け合わせられたら最高ですね。

当たり前のことが当たり前じゃなくなってしまったから、コロナが収束したら、「友達と会う」とか、それまでずっと普通にできていたことをまた普通にできるようになればいいですね。やっぱりオンラインじゃなくて、リアルに人とつながることのできる場所ってとても大切だと思うんです。近所のバーやカフェとか、誰にでもそういう場所がありますよね。もちろんそれがオフィスだという人もいます。どの場所だとしても、そこは誰かにとっての憩いの場であり、本当に大切な場所だったはずなんです。オンラインでのつながりは実際とても便利ではあるのだけど、それ以上に「リアルな場」でつながることの素晴らしさが見直されたらうれしいです。

1992年、東京都生まれ。学生時代からさまざまな飲食店で働き、大学卒業後は目黒にあるビアパブの副店長として、恩師である店長と共に店の立ち上げから携わる。現在はブルーボトルコーヒー 渋谷カフェでコーヒーに関する知識を深めながら、魅力を発信している。

3

初めての子育て、
自分を見つけるために
絵を描く。

主婦
安藤 遥

制限されたコミュニケーションのなかで

２０１９年11月に第一子を出産したのをきっかけに、仕事を辞め、主婦になりました。仕事はとても好きだったんですが、もともと自然が多い土地で子育てしたいという願望があったのと、〝ジジババ〟の近くで子育てをしたいとも思っていたので、出産して1年経った頃に、東京から実家のある山形に引越しました。本当は出産したらすぐに山形に戻ろうかと考えていたのですが、コロナ禍で1年ほど帰ることができず、私たちの計画もかなりずれてしまいました。実家の方も「今は帰ってこないで欲しい」という状態でした。

里帰り出産をして２０２０年の1月に東京に戻ってきたんです。そのときはまだコロナの猛威というのは感じていなかったのですが、その後すぐコロナがどんどん広がって、ズーンと閉塞的になってしまいました。出産してすぐだったのと、誰とも会えない、ママ友も誰もいないという状況で、精神的にキツかったです。唯一の救いが夫のステファン。彼があれこれと子育てを手伝ってくれたことがすごく助かりました。そのときそういうパートナーを持てたことがとても幸せなことなんだなと改めて感じましたね。保健センターや児童館も閉館になっていたので、他のママに会う機会はほとんどなくなってしまって、子育ての情報を得るのはほぼインターネットだけ。毎日悩みを検索してばかりいました。子供が歩き始める前の月齢が小さいときは、ただベビーカーに乗せたり抱っこするしかないので、意外と他のママと交流する機会が少ないんです。子供が少し歩くようになると、どこにでもチョロチョロと走っていき、「こんにちは〜」みたいな感じで自然に交流が生まれるんですけどね。その時期はただ散歩していても、誰とも話すことがなく、人とのコミュニケーションは、スーパーの店員さんから「お子さん、かわいいですね」とか言われることくらいでした。そんなとき見つけたのがアプリでした。近所のママと匿名でコミュニケーションできるマッチングアプリのようなものがあって、ひとりのママと長くやりとりしていました。「今子供がこんな状況なんですけど、どうしてますか?」など、お互いの子供のこと、児童館のこと、様々なことを子供が寝ている間に話しました。アプリって、対面じゃないからこそ聞きにくいこともすんなり聞けるんです。

例えば、「うんちって、何回くらいしてますか?」とか。どんな色だと健康状態がどうだとか、いくらママと言えども、なかなか聞けないですからね。リアルなコミュニケーションの場だと、やっぱりソツのない話から始まるものなんです。アプリだとそうしたちょっと気の引ける話しを直接聞けることがとても楽でした。

子育て中の「孤立感」

子供が10ヶ月くらいのときに上の階に住んでいた女性に廊下でばったり会ったことがあるんです。その方は生まれたばかりの赤ちゃんを抱っこしてて、格好がパジャマだったんです。それでなんとなく話しかけてみたんです。子供を抱っこしながら、「私ここの2階に住んでるんです」みたいな、なんでもない会話ですけれど。いろいろ話してるうちに、彼女が急に泣き始めてしまって。旦那さんは仕事に行っているし、その方は腰痛持ちだったみたいで、動くのも辛かったらしくリハビリで階段を降りたりしてたときだったみたい。「久しぶりにママと話した」って言ってました。きっと同じような立場のママに声をかけられて、急に想いがいっぱいにこみ上げてきたんだろうと思います。小さい子供とふたりきりって、実際意思疎通もできないし、わからないことだらけで頭はパニックになって、私も1日中パジャマでいることも多かったので、彼女の気持ちがすごくよく理解できました。子供って、夜中に6回も7回も起きることもあって、その度に授乳しているとどんどん体力も奪われるし、寝てないから日中もずっとぼうっとしてしまう。そういう毎日だと精神面がどうしても揺らいできて、イライラしたり涙もろくなったり。きっと彼女もそんな状態だったんだと思います。昔は、近所のコミュニティの結びつきが今よりずっと深くて、地域のみんなで子育てする環境だったのかもしれないけれど、今は昔と違うし、一歩家の中に入ってしまうと「孤立してしまうかも」という感覚があるんですよね。東京という街で過ごしていると尚更そんな風に感じてしまうのかも。私はもともとインドアタイプでしたけれど、そんな私でも何かしら外部とのつながりがないと、ダメになってしまうなと思いました。だから無理してでも、少し眠くても、なるべく外に出るようにしていました。

家事・育児という労働

「主婦って基本は家にいるから楽でしょ」と思う人も多いかもしれないですが、その立場になってみて初めて、かなり重労働なんだなと理解できました。こんなに大変なのに、どうして給料をもらえないんでしょうね(笑)。女性が出産するからといって、女性だけが家事・育児をするのってやっぱりおかしいなと思います。今の時代、男性の育児参加は必須ですよね。夫のステファンが言うには、フランスでは統計して主婦が1ヶ月60万円の給料をもらうべきだって言われているらしいです。子育て中は夜も寝ないで働いていると考えたら、正直妥当な金額かもしれないですね。

最初の頃は毎日日記をつけてました。子供が喋るようになった言葉や離乳食メニュー、一日の出来事をメモしたりして。毎日怒涛のように過ぎていくので、今読み返してみると面白いんです。コロナ禍真っ只中のある日の日記には、「紐を持って歩く」「うんち3回」「とにかく叫ぶ」「やっぱり、テレビは見せない方がいいのかな?」とか。「ちゃんと本を読もうと思う」「作り置きしたい」とか、自分のToDoも書いてあります(笑)。あとは夫に対する愚痴なんかも……。今となっては、そうやって感情を整理していたんだなって思います。子育ては本当に体力勝負だから、「自分は体力がないからこんなに大変なんだ!」と、子供と対峙するためにYouTubeを観ながら運動して、体作り+ダイエットもしていました。どんな運動をしたかも表にして記録してあります(笑)。

自分を見つけるために絵を描く

子供が生後3ヶ月くらいの頃、すごくよく寝てくれる時期があったんです。そのときにはよく絵を描いていました。ちゃんと絵の具も使って。5ヶ月に入ったら夜泣きが始まったので、また何もできなくなってしまったんですけど(笑)。もしかしたら私は他のママよりも自己中心的なのかもしれないのですが、すべてを子供を中心にした毎日の中でも、自分自身のこともちゃんと考えないといけないといつも思っていました。そうやって自分を大切にするからこそ、子育てができるのかもしれません。私にとって自分のために続けていることは、絵を描くことなんです。絵を描く仕事がしたいと、2012年にフランスへ絵の勉強に行きました。フランスで漠然と「絵を描きたい」と思いながら勉強をしていたときに描いていたのはとにかく「デッサン」でした。「どこに行くにも紙と鉛筆を持っていきなさい」と先生に言われたので、小さなノートをいつも持ち歩いて、電車の少しの待ち時間でも必ずスケッチして、描いて描いて描きまくっていました。でも、本当にいつも悩んでいましたね。今思えば、自分の描きたいスタイルが全然定まっていないって感じでした。例えばこの線をここに足したら、全部が崩れてしまうんじゃないかとか、この色を足したら全部台無しになっちゃうんじゃないかって、いつもすごく怖くて。でも絵を描く人たち、特に巨匠って呼ばれるような……。例えばゴッホなんて自分の耳を削ぐくらい悩み苦しんで絵を描いていたじゃないですか? 絵だけに限らず、何かを創り出す人もそうだと思いますが、例えそれがどんな小さな作品だとしても、何かを生み出そうとすればやっぱり悩みますよね。でもそうやって悩んで、悩んで、悩み抜いた先にこそ、ようやく自分のスタイルみたいなものが見つかるのかもと最近思うようになりました。今もやっぱり絵を描くのが好きで今後絵で何かをやりたいと思っているんです。最近はiPadを手に入れて、それで描くようになりました。時間があれば今でも絵の具で描きたいのですが、子育て中はやっぱり落ち着いた時間が少ないので、iPadで楽しんでいます。インスタなんかを見ていると、素晴らしい作品を描く人がたくさんいます。だけど、自分には「自分が描けるものしか描けないんだから、誰かになりたいって思ったって仕方ない」と、自分らしく描けるものを描こうと思うようになりました。そんな中、今まで自分が描いてきたイラストや新しく描いた絵を載せたZINEを初めて作ってみました。今東京の本屋にも置いていただいています。つい最近2冊目を制作したんです。そうやって絵を描くことが子育て中の私にとって一番のリフレッシュ法だし、自分自身を大切にするためにずっと続けている唯一のことです。

田舎への引越しとこれから

そういえば山形に越してきてから、子供の語彙力がすごく上がったんです。東京にいたときには自分と子供のふたりだけでご飯を食べることが多かったけど、こっちではジジババ含めてみんなでご飯を食べる機会が多いので、その影響かもしれないです。子供は人の口の動きを真似するらしいのですが、今はみんなマスクをしてるから子供の言語の発達によくないって話を聞いて少し不安があったんです。でもこうして家族が増えて、いろんな人とコミュニケーションをすることができるようになって、すごく楽しそうだし子供の成長にはとてもいい環境なのかもしれませんね。

今一番の関心は、地方に暮らしながら、ステファンの母語であるフランス語をどうやって子供に教えるかということ。本当は毎年何ヶ月かフランスに滞在できたらベストなんですけどね。山形には東京みたいにフランス人学校もないし、そもそもフランス人も少ないから、そんな中でどうやってフランス語を教えるか、目下模索中です。でもフランスに限らず、できる限りたくさんの国の人と会う機会を持たせてあげたいなと思っています。コロナが収束したらとりあえずフランスに行きたい。子供ももうすぐ2歳だし、そろそろフランスを見せてあげたいです。あと、ステファンが「ハグフェスティバルがしたい」って言っています(笑)。文字通り家族や仲間と、ハグをしまくる祭りらしいですけど、それもいいなって思います。

子供の時代を生きる子供と向き合う

この前ステファンとも話してたのですが、価値観って時代背景によって作られる部分が大きいんじゃないかと思うんです。自分の親が小さい頃になりたかった「夢」と、自分が小さい頃になりたかった「夢」ってたいていの場合、まったく違うものですよね。それと同じように、自分の子供の夢も、当然私が小さな頃に見てた夢とは、全然違うものだと思うんです。時代によって社会のすべてが変化していくものだし、だからこそ感じるのは、子供は子供の時代を生きているんだから、親が生きてきた時代の考えを子供に押し付けるのは違うだろうということ。逆に、親の価値観をその時代の価値観に合わせていかなければ、子供と向き合うことができなくなってしまうなと思っています。だからこそどんなときでもコミュニケーションだけは絶対に絶やさないように、どんどん大きく育っていく子供とまっすぐに向き合っていきたいですね。

主婦。山形県在住。イラストレーション青山塾19期、フランスのL'école superieur d' art françoise conteを経て、École superieur d'art Tourcoingでアートを学ぶ。好きでイラストを描いてます。INSTAGRAM @haru075

4

副住職もクリエイターも「僧侶」としての仕事。

月仲山 称名寺 副住職／煩悩クリエイター
稲田ズイキ

寺の跡継ぎと夢の両立

僕が僧侶になった理由は実家がお寺だったから、ということだけですね。僕は次男で、長男は中学生の頃から「寺は継がない」と話していましたし、母や住職の父からは「お前の方が住職に向いてる」と言われていました。僕にはなぜか他人が気を許せる雰囲気や安心感があるみたいで。要するにマヌケ力が高いんです（笑）。小学校の卒業文集に「立派で面白い僧侶になりたい」と書いたのですが、大学生の頃はアニメにハマってシナリオライターになりたかった。そういう自分の夢と、小さな頃からの運命でもあった僧侶という仕事を両立したのが今の活動です。

そんなわけで今は寺の副住職、そしてクリエイターとしても活動しています。副住職としての仕事は、檀家の方が亡くなられた際の法事が中心です。それが通夜、葬式、何回忌と続き、月に1回程度、宗派で決められた行事を行います。父が住職で僕が副住職なのですが、それほど大きな寺ではないので普段の業務はそこまで多くないんです。お盆などの忙しい時期は父とふたりで動くのですが、それ以外は東京で、執筆業、編集業などをしています。僕は寺に常駐するいわゆる住職の仕事だけでなく、執筆業などもすべて含めて僧侶の仕事だと思っています。元々「遊行」といって、旅をしながら修行をする僧侶がいたり、住職以外にも僧侶にはいろいろなかたちがあるんです。僕はやっていませんが、何年か前には僧侶の派遣サービスなんかも話題になりましたよね。実際に僕もSNSを利用して、知らない方の家に泊めていただきながら生活をしていた経験があって、そのときは「もしかしたら地球全体が寺なのかもしれない」と考えました。ラテン語で地球は「terra」ですしね。

家を巻き込んで撮った映画『DOPE寺』

うちの寺は京都の田舎の方にあるのですが、檀家さんにはパートナーが亡くなって子供や孫も都会に出てしまった、ひとり暮らしのお年寄りが少なくないです。お盆にはそうしたお年寄りの家で話をしたりと、ケアワーカー的な側面もある仕事なんですよ。やりがいという言葉が適しているかわかりませんが、お年寄りがあれこれ楽しそうに話すのを聞いたり、仏壇を見つめて「寂しいわ」とこぼすのを見ていると、この時間を大切にしたいなと思います。

クリエイターとしては、映画監督の友人と映画『DOPE寺』を撮ったことが思い出深いですね。僕の家族にも総出演してもらって、檀家のおじいちゃんおばあちゃんまで登場するかなりパンチの効いた映画でした。ミュージカル映画なので、ラストは僕と父が説法ラップバトルを繰り広げます（笑）。

僕の活動に対して、母は「何でもやったらいいやん」って応援してくれてます。『DOPE寺』は3年ほど前、僕がクリエイターとしても活動し始めた頃に撮影したのですが、当時父は「どうしてこんなことをせなあかんねん」と最初は理解してくれなくて。それでも負けじとイカれた目で訴え続けた結果、最終的には納得してくれました。うちの寺で『DOPE寺』の上映会を開催して、最寄り駅から徒歩で30分以上かかる場所にも関わらず、120人くらいのお客さんが観に来てくれたんです。車で三重から来た方や、兵庫から足を運んでくれた方までいて、父も「こんなに寺に人が集まったことはない」と驚いていました。上映会当日に法要もしたのですが、ズラーッとたくさんの人がいるのを見て父は「泣きそうになったわ」と言ってました(笑)。先日僕が出版した本『世界が仏教であふれだす』も、父は自分で購入して知り合いに配ったみたいで、今みたいな僕の活動を段々と受け入れてくれています。

パッチワークのように思想を築く

創作活動と自分自身が大事にしている仏教の思想を、いかに上手に融合させて新しいジャンルを作るかが今の目標ですね。

最近は宮沢賢治にハマっています。宮沢賢治って童話、音楽、詩などに仏教思想を反映させていた作家なんです。直接的に仏教には触れていないのに、彼の作品の世界観からは仏教を感じるところにグッときますよね。僕もそんな風に自分の運命的な思想である仏教と、令和を生きるひとりの人間としての感性を融合させて表現をしていきたいです。悟りって言語化するのはご法度で、言語化できないところに真理があると仏教では言われているんですよ。アートに近い感覚ですが、最後はそれぞれの感性に委ねることで仏性が目覚めるんです。どんなコンテンツにするかは模索中ですが、言葉にはできない悟りの瞬間を表現していきたいと思っています。

そもそも仏教は人生に対する問いから始まっていて、どうすれば苦しみが無くなるのかを言語化した世界なんです。現代でも通用する世界観なので、釈迦の教えは多くの人に刺さるはずです。なかには釈迦は当たり前のことを言ってるだけ、と感じる方もいるかもしれませんが、それだけスタンダードで奥深い世界なんだと思っています。僕自身は世の中に仏教を広めたいとは思っていませんが、仏教に触れることでどんな人でも何か得るものがあるんじゃないかな？とは感じています。仏教を広めても世界中の人が幸せになるとは思っていませんし、それだけでは生きていけるほど単純な世界ではないですから。いろいろな思想や宗教があって当たり前だし、中にはキリスト教やイスラム教の要素を取り入れる人だっているだろうし、その中にカルチャーや二次元作品、文学などあらゆるものが混じっていいはずだと思っています。さまざまなものを拠り所にして、自分の思想をパッチワークのように築くイメージでしょうか。実際僕にとって仏教は大きな拠り所ですが、好きなバンドや偉人の言葉にも感動することもあります。「自分はこれ！」と決めつけてしまうのではなく、じわじわ輪郭を作る方が自然ですよね。いろいろな思想を自分の色に加工して受け入れていくことが大切だと思っています。

この1年は自分の心を固められた期間

副住職としての仕事に、コロナ禍の影響はほぼありませんでした。寺があるのは田舎なので、人が集まるとしてもそこまで大勢ではないですから。行事ごとを中止した寺は結構あったみたいですが、うちの寺は父のポリシーで行事をほぼ普段通り続けました。父は「文化や伝統は、一度途絶えてしまうと再生が難しい」と話していて。コロナ禍でライブハウスの存続なども問題になっていますが、「文化がなくなるとどうなるのか？」って実際のところ説明するのがとても難しいんです。寺も同じで、「法事があるからどうなのか？ どういう価値があるのか？」って言語化しにくい。意味を伝えにくいからこそ、途絶えてしまうと取り戻すのが難しいんですよね。実際には一部だけですが辞めてしまった行事もあるのですが、万全にウイルス対策しながら行事を継続することを判断した父はすごいと思います。だから副住職としての仕事において変化したことは、実はあまりありません。

私生活もあまり変化がなかったですね。オンライン飲みが流行り出して、毎日飲み会になりましたけど（笑）。でもオンライン飲みもしんどくなって、疲れてしまった時期もありました。コロナが広まり始めた1年ほど前は、いろんな声がＳＮＳに溢れて騒然としていましたし、絶望的なニュースがメディアに流れているので、共感力が高い自分はそういうものを見るとしんどくなってしまって。すぐに治りましたが、メニエール病を患った時期もあります。だからこの1年間は、しんどい世界とは距離を置いて、自分を喜ばせる、安定させる方向に自分の生活をシフトしたんです。具体的にはツイッターは投稿のみで、タイムラインはほとんど見ないようにしたりとか。言葉が悪用されている、怒りを吐き出すツールになっている感覚があったので、僕は言葉を大事にしようと意識しましたね。何かを強く訴えるのは、相手の思考を奪ってしまう、コントロールに繋がると感じたし、自分がしたいのはそういうことではなくて自分の心と相手の心に橋をかけてお互いににじり寄りたいんです。となると、「作品」を作るしかないと。だからこの1年間は自分の心を固められた期間になりましたね。

自分が僧侶だからといって、友人から何か相談されたりすることはあまりないですね。僕がそういうキャラじゃないことを、友人はよくわかってるんですよ。むしろ僕が友人に相談するくらいです（笑）。でもＳＮＳのタイムラインを眺めていて「会社がしんど過ぎる」とか何回も投稿しているような知り合いには、天竺鼠のネタとか江頭2:50さんのYouTubeのリンクを送ったりしています。その方が元気が出るので、そういうスタイルです(笑)。

小説や詩を書きたいモードに

今年は小説をたくさん書きたいと思っています。今も仕事で依頼を受けて、小説を書いてて。編集者の友人がいるのですが、彼は28歳にして漫画家になるためにイチから勉強するという無謀なことをしてるんです。その友人とお互いを高めあいながら、頑張っています。

あとは詩も書いています。詩はいいですよね。もともと歌詞が好きで、よく歌詞の考察をしているんです。僕はハロプロが好きなのですが、つんく♂さんの歌詞はすごいですよ。とても仏教的な思想が描かれていて、仏の極み。あと星野源さんの歌詞は、マジで仏教です。多分、無意識に仏教に引っ張られているんでしょうね。秦基博さんの歌詞にも、ところどころ仏教を感じるんですけど、もちろん本人は仏教について学んだりはしていないと思うんですよ。そんな仏的な感性の持ち主を「野生のブッダ」と呼んでいます。野生のブッダに出会えると「仏教ってやっぱりすごいんだな」と肯定された感じになってテンションが上がるんです。韓国では詩のブームが来ているみたいで、これから日本でも詩の価値が高まっていくと思っています。

僕はコロナ禍を経て、小説や詩を書きたいモードになってたら、友人からは「僧侶としてわかりやすいことをしろよ」と言われてしまいましたが(笑)。でも、歴史をたどれば、説法をせず死ぬまで和歌を詠み続けた僧侶だっています。これからも僧侶として、小説や詩なんかも創作していけたらいいな。なにしろ、それも含めて僧侶の活動だと思っているので。

1992年、京都府久御山町生まれ。月仲山 称名寺の副住職。コラムの連載を手がけるなどライターとして活動しながら、映画『DOPE寺』やイベント「煩悩ナイト」を企画している。2020年には宗派を超えた若き僧侶たちが制作するフリーマガジン『フリースタイルな僧侶たち』の編集長に就任。同年、初の著書『世界が仏教であふれだす』を出版。

OUR ASSOCIATES

GORDON MILLER™

www.gordonmillerpro.com

5

自分の好きな
ファッションの世界で、
いつまでも
活躍していたい。

スタイリストアシスタント

内山晴輝

夢だったスタイリストへの道に飛び込む

ファッションスタイリストの山田陵太さんのアシスタントをしています。大学生の頃からスタイリストの仕事には興味があったのですが、厳しいとか、いろいろな噂を聞いていたので、卒業してすぐにアシスタントになろうという一歩が踏み出せずにいました。それに社会人経験もなかったので、まずは興味のあるファッション業界で働こうと思いました。ただ、販売員を長くやりたいとは思わなくて、業界のことをいろいろ調べてみると、当時の百貨店は1年半から2年ほどで買い付けとか、商品に携われる可能性があったので、セレクトショップなどは受けずに、そういったところを中心に就職活動をしていました。

それから、百貨店を運営している株式会社そごう・西武に総合職で新卒入社し、インポート婦人靴の売り場に配属されて、販売員としてお客さまへの接客や、VMDとしてフロアにあるトルソーなどのスタイリングを行っていました。その後、ファッション雑誌の付録や販促物を製造する部署に異動し、法人営業として出版社に行って製品の売り込みをしていました。販売と営業を3年ほど続けていたのですが、どうしてもスタイリストになりたいという夢を捨てられず。そんな思いもあったなかで、2019年の夏に雑誌『anna magazine』のイベントで、スタイリストの梶雄太さんのトークイベントを1番前の席で聞いていたんですけど、たまたま『anna magazine』編集長の須藤亮さんに「なんかお前面白いやつだな」って声を掛けていただいて、後日改めてお会いすることになったんです。そのときに今までの経歴などを話しながら、「本当はスタイリストになりたいんです」と相談をしたら、須藤さんが「それなら今度知り合いのスタイリストを紹介するよ」と言ってくださったので、少しお時間をいただいて自分でも覚悟を決めたタイミングで須藤さんに連絡して、今の師匠である山田さんを紹介してもらいました。それがスタイリストアシスタントになったきっかけです。

自分ができること、目の前のことを精一杯こなしていく

山田さんのアシスタントになってから1年が経ちました。今はアシスタントという立場なので、どうすれば現場がスムーズに回るか、山田さんが仕事しやすくなるかを常に意識して行動するようにしています。仕事柄、モデルさんに洋服を着せたり靴を履かせたりすると、どうしても物理的な距離が近くなるので、なるべく圧迫感を与えないようなモデルさんとの接し方みたいなところは、婦人靴の販売をしていたときに気を付けていたことが、今になって活かされてるなと思います。あとは、地味なことですけど靴紐を

きれいに結べることとか。

　やりがいでいうと、カタログやルックの撮影で、ロケとかいろいろな場所に行く機会が多いのですが、サラリーマンでは経験できないようなことを経験できるので、そういったところにもとてもやりがいを感じます。もちろん大変なこともたくさんあります。時間の縛りがないので、早朝からや深夜からの撮影もありますし、あとはたくさんの重い荷物を運ぶことも。この前、山頂で靴の撮影をする現場があったのですが、全部で30足ぐらいの靴をバックパックに入れて、もうひとりのアシスタントと手分けしながら往復3時間くらい山道を歩きました(笑)。それでもスタイリストになると覚悟を決めてから、スタイリストがどういう仕事なのかを自分なりに調べましたし、大変なことも理解した上でこの道に進んだので、実際にアシスタントをしていてそれ以前以後でのギャップみたいなものは、そこまでなかったです。むしろ自分の好きなファッションと密接に関わることができる環境にいられて今はとても幸せです。

　あとは、アシスタント業務はもちろんですけど、この仕事は日々のリサーチも欠かせないので、普段からいろんな映画や音楽に触れるようにしています。最近観た映画だと、スティーブン・チョボウスキー監督の『ウォール・フラワー』がすごく良かったです。あとは有名どころですけど、ウェス・アンダーソンやクエンティン・タランティーノの作品も好きですね。音楽は、邦楽・洋楽問わずインディーズのロックやオルタナティブが今の気分です。リフレッシュしたいときは、好きな音楽をスピーカーに繋いで大きな音でテンション上げています。何より、山田さんがさまざまなカルチャーへの造詣が深いので、そこから独立するとなるともっとたくさんのことを勉強しないとだし、今のうちからいろんな経験を積んでいかないとだなって強く感じています。

　山田さんとは普段プライベートのことなど、深い話をあんまりしてこなかったんですけど、そんな山田さんとの思い出深いエピソードがひとつあって。当時アシスタントになってから半年が経ったくらいで、2020年最後の仕事を終えて山田さんと車で帰ってるときに、何気ない会話のなかで「半年いてくれたからいろんな仕事ができるようになった。ありがとう」って言ってくださったんです。その言葉が個人的にはとても嬉しくて、それがあったから2021年も頑張ろうって思えました。

悩むよりも考えることが大事

　前の会社を辞めてスタイリストのアシスタントになることは両親や会社の同僚にも報告したんですけど、ほとんどの人が「え?」って反応でした。そこそこ大きな会社だったので普通に働いていればそれなりに安定して暮らしていけたというか。あとは周りのイメージ的に僕が会社を辞めてそういうことをやると思ってなかったみたいで……。当時は社内でもわりと目立って仕事をしている感じだったので、「そんな奴が会社辞めてどうすんの?」とか「マジで辞めたんだ」みたいに言われてました(笑)。確かにこういう業界を知らない人からすれば、今の仕事はフリーターみたいに思われてもおかしくないですからね。だからこそ、アシスタントになったことがゴールではないので、独立してご飯を食べていけるところまで行かないとだなって思ってます。

それに会社員の経験があったからいまの自分があると思ってます。販売ではお客さまと、営業では企業と仕事を通して関わってきましたが、その両方を経験したか、してないかではだいぶ違っていたと思うし、職業は違えど人と関わる仕事なので、今までの経験はこれからも大切にしていきたいです。

そういった経験をしてきたらこそ言えることがあって、とはいえ僕もできていないんですけど、〝悩む〟のではなくて〝考える〟ことで、正解が見えてくるんじゃないかなと思います。悩むとどうしても先のことがぼんやりしてしまうので、「どうしようかな」じゃなくて「こうしようかな」って。転職するにしても、自分の目指すべき場所をまず決めて、そこに向かうためにどうしたらいいか、そしてそのためには何が必要なのかを考えてみる。あとは、自分のなりたい職業があるとして、その職業の人がどういう経歴で今に至っているのか、ロールモデルを見つけて調べてみると、自分のやりたいことに近づけるのかなって思います。

立ち止まらずに、とにかく進んでいく

アシスタント始めたてのタイミングでコロナが流行りはじめたので、個人的には仕事での変化はあまり感じられなかったです。とはいえ最初の1ヶ月くらいは仕事もなかったので、そこで自分と向き合う時間が増えていろいろ考えるようにはなりました。その中で「現状維持は退化なり」という言葉が今の自分の軸となっているんですけど、ひとりの時間が増えたことでついサボってしまうこともあるんです。でも、サボると人って現状維持しかできなくなるじゃないですか。現状維持って世の中的に見ると退化していることと同じだと思っていて。それに、コロナをきっかけに良くも悪くも〝個人〟として認識される部分が多くなった気がします。だからこそ、個人として生きていくための力であったり、常に前を向いて進んでいかないといけないっていうのは、今まで以上に意識するようになりました。

師匠と肩を並べられるような、スタイリストに

将来的には独立して、ラグジュアリーブランドのカタログやルックに携わったり、誰もが知るような有名人のスタイリングをしたりして、山田さんと同じくらい活躍できる

スタイリストになるのが目標です。あとは、地元の北海道でも何か仕事ができれば理想ですね。そのために今はアシスタントとしてできることをまっとうしつつ、自分自身の作品撮りにもチャレンジしていきたいです。

ニューノーマルって言葉が出てきたくらいなので、今まで通りの生活に戻ることは難しいかもしれないですけど、20代の貴重な数年間がマスク生活なのは正直嫌だなと思うから、マスクなしでみんなの笑った顔が見られる生活になってほしいですね。これも普通のことですけど、みんなでワイワイして飲みに行ったりとか、旅行とかに行けたらなって思います。めちゃくちゃ普通のことですけど、そこに尽きますね。ちょっと真面目なことで言えば、医療従事者や飲食店経営者だけじゃないですけど、頑張ってる人がちゃんと生きやすくなれるような世の中になってほしいです。

大学卒業後、大手百貨店に総合職として入社し、VMDなどに携わる。その後法人営業部に異動し、ファッション誌の付録制作などを手掛ける。新卒から丸3年で退職し、スタイリスト山田陵太氏に師事、現在に至る。

the moment.
働く現場。

YUKI OKISHIMA

写真は、かつての勤務先だったスタジオ。労働を象徴するシーンと問われ、一番最初に思い浮かんだ場所だった。「やってよかった、ただ二度とやりたくない!」と強く思うスタジオマン。そんな日々が、今の私の糧になっている。

沖島悠希／1987年、大阪府生まれ。2012年より代官山スタジオ勤務。2016年より高木将也氏に師事。2020年3月独立。ファッションやポートレイトを中心に活動中。

6

家族でつなぐ、日本とロサンゼルスの掛け橋に。

「minoi」オーナー

大和田晋吾

家族で見つけたスタート地点

35歳の時、仙台から東京へ出て、妻とふたりで「minoi」というヴィンテージショップをはじめました。それまで、僕は仙台でアメリカンヴィンテージを取り扱う複数のショップを持つ会社に勤め、妻は都内のヴィンテージショップで働いていたのですが、妻が妊娠したタイミングで、東京へ出て独立するか、仙台で独立するか、もしくは古着屋をやめるかの3択で迷っていました。妻のお腹が大きくなり、東京へ行くことが増えてきた時期にたまたま見つけた代々木上原のレンタルスペースで、一度試しに僕が仙台で任されているお店のポップアップをしてみようと試みたのが、33歳のゴールデンウィーク。想像以上に来てくださる方が多く、仙台の店舗がある街並みとも近いと感じたこともあり、すごく良い時間を過ごせたので、ここならいいなあと思って。たまたま近くに家族3人で生活できて、かつ洋服も収納しやすい一軒家を見つけることができたのが、東京で独立するきっかけでした。まずは店舗を持たずに月に1回、10日間ほどレンタルスペースで販売をして、倉庫と兼ねた自宅の中で、ヴィンテージアイテムで揃えた空間を作って家族で生活している姿を見せられたらと思い、「minoi」を立ち上げました。「minoi」は、レディースのヴィンテージを取り扱っていて、毎日忙しく流れていく時間を、ヴィンテージのアイテムによってどこまで豊かな時間と暮らしにできるかということを僕、ないし家族で表現できたらというのがコンセプトです。

共感してくれる人をどこまで増やせるか

コンセプトが伝わったと感じたときに1番やりがいを感じます。仙台にいた頃は、東京は時間の流れが早くてみなさん忙しくされているイメージがあったんです。そのぶん、休日はどこまでゆっくり時間を使えるかにポイントを置いているイメージがあって。例えば、キャンプをするにしてもテントやBBQセットを用意していろいろと作り込んで、1日2日のためにお金をかける方が多いイメージがありました。だから、僕たちのお店に興味を持ってくださった方々には、「本当はこういう生活がしたいんだよな」と思っていただいて、生活を豊かにするためにヴィンテージにお金を支払う。そういった提案に共感してくださったお客様と出会えると、やっていてよかったなと感じますね。

好きなものだけを集めた空間で

自宅は、お店の倉庫を兼ねてはいますが、自分たちが一番リフレッシュできる空間にしたくてヴィンテージアイテムを置いているというのもありますね。基本的には嫌なことはしないというか、嫌なことよりも好きなことをぎゅっと集めて生活しているので、その空間にいることが心地いい。なので、コロナ禍でステイホームと謳っていたときの生活が、僕たちの中では一番ハマっていましたね。もともと家を一番いい空間として作っていたので、勝手にリフレッシュされて、落ち着くなって感じがしました。

僕の場合は、東京に来てすぐ子供が生まれて、コロナ禍になって、想定していた東京の生活よりは、仕事と家族の時間を24時間ゆっくり共有できる生活からのスタートになりました。コロナでふたつの時間を同じ流れで濃いものに形作ることができたなと思っています。

伝えたいが全て

今は海外に買い付けに行ってから日本に帰って来たあとの自主隔離が大変ですね。あとは、会社に勤めていた頃はグループで分担していたことが今はすべてひとりでやらなくちゃいけないので、苦手だったことに直面することがひとりだと多いなと感じますが、仕事に関して大変ことはそういった雑務くらいかな。

買い付けはよく体力勝負って言われるんですけど、今、僕がやっている買い付けは、生活とストーリーがリンクしている人たち、僕が日本に伝えたいと思う人たちから買っていて。前に勤めていた会社ではメンズの買い付けもしていて、服の山に登ってひとつひとつ見なきゃいけないといった大変さもありましたが、今は「そんな大変な思いをして買って来たんですよ」って見せ方より、「こんな素敵な人たちがいたのでこの人たちから譲ってもらったんですよ」って見せ方になることが多いように思います。

繋がりで生まれたイコールは、最終ゴール〝塩釜〟でも

僕、お笑いコンビのナインティナインが大好きなんです。めちゃイケ(『めちゃ×2イケてるッ！』)が大好きで、今も携帯の待ち受けは岡村さんです(笑)。実は、高校のときに一度上京して吉本の養成所に行ってるんです。でも、僕が宮城にいたときに思い描いていたお笑い芸人という職業が、東京へ出て、ショックを受けるくらいイメージと全然違かった。僕は、めちゃイケのモデルになぞっていただけで、養成所ではまったく違うんだって感じました。それで挫折してすぐ戻りました。これから何がやりたいのかを考えて

いたときに、めちゃイケが表していたような「面白さと真面目さを融合したもの」を仕事にしたらいいよなと思い、たどり着いたのがたまたま古着屋さんだったんです。生まれてから17歳まではお笑い芸人になりたくて、でもそれがだめで、そこから35歳で違う仕事で形を作って。17年間、違う仕事を探すために動いていたというか。

僕の中では古着屋をやっていても、これから何か仕事をするにあたっても、ビジネスモデルは岡村さんなんです。どんな職業でも同じ熱量にしておきたい。ただ、忙しいから熱量があるとも思ってないんですよ。ゆっくりした時間の流れを僕らで見せる熱量と、お店を作る上でのブランディングの熱量と、そういうことさえ出せていれば、次の仕事にも結びついていくんじゃないかなと思っているところですね。

今、東京で生活していている中で、さまざまなお仕事からいろんなきっかけをいただいていますが、将来的には何かの「中継地点」になりたいと思っています。特に、コロナが終息したら、海外の人たちを呼びたいなって思いがすごく大きくて。僕がお客さんみんなを海外へ連れていってあげることはできないので、だったら海外からキーパーソンを呼んできた方がいいかなって。そういうことはやってみたいなと思いますね。僕たちは海外の方に日本のことを発信して、海外の方が日本に来るときは僕たちが中継して日本の方に伝えるという形を作るために、今は東京にいなきゃいけないと感じています。でも最終的には地元である宮城県塩釜市に戻りたいと思っていて、ゆくゆくは生まれ故郷で、地元のものや宮城のものを東京や海外に中継できる人にもなれたらと思っていますね。

弱気だったロサンゼルス

僕、2021年の2月はアメリカにいたんです。買い付けの拠点はロサンゼルスなのですが、独立をしてから最初は資金面などもあって前ほどアメリカに行けず、今は間隔が空いて半年に1回くらいのスパンで買い付けに行っています。日本も大変ですが、アメリカは感染者数の比が日本とは桁違い。ロスに買い付けに行って、久々に会う知人たちの「久しぶり」にはちょっと泣きそうになったというか。「次も来てくれるよね」とか「もう帰んのか」とかね。

去年の9月にもロスに買い付けに行っていて、そのときは結構深刻な時期でした。人が集まることが日本よりも厳しくなっている状況で、向こうも仕事が上手くいってないことはわかっていたんですけど「どうなの?」って聞いたんです。挨拶代わりに「体調どう?」とか「仕事どう?」って言葉を使うとき、日本人は曖昧な言葉で「ぼちぼちです」とか「まあまあっす」って言いますよね。でも、向こうの人たちって基本バッドって言わないんですよ。絶対グッドなんです。イエスかノーの世界だったりもするので、多分、生きてれば結構イエスみたいな。それなのに、初めて「うん…

…」ってなったんですよ。今まで絶対にグッドって言っていた人たちが、「うん、ぼちぼちだ」みたいな。そのとき、もうこの人たちもついにこれ使っちゃうんだみたいな部分にグッときたので、出会えたからにはできるだけお金を使おうと思いました。それでまたコミュニケーションもとれますし。普段グッドって言っていた人たちがバッドになった瞬間を見たことが今までで一番印象的でしたね。弱いところが見えたみたいなところがあったというか。あのときロスにレディースを買い付け来ていた日本人のバイヤーさんはほぼいなかったので、あの瞬間を見ていたのは僕だけだったと思うと、これを伝えるのは僕しかできないから、今接客中に重めに言ってます(笑)。

終息しても流されないこと

アフターコロナになってからの方が、いろんな方に出会えるかなと思っていて。より共感してくれる方々や、僕が共感したいと思う方にはすごく出会える気がします。その頃には、マスクをつける前よりももっと笑顔になっていたいなと思いますね。顔を出す重要性というか。これからさらに笑顔が重要で、大切になってくると思うんですよね。ロスに行っていたときも、みんなマスクをしているので目だけを見て、笑ってるんだろうなと勝手に思っていて。

海外の人たちが普通にやっていることに愛を感じたり、距離感いいなと思ったりしていたことが一気に全部できなくなりました。「本当はハグしたいんだけど、お前とはできるの?」って聞いてくれるんですよ。そういうのがよりできるようになったらいいなと思います。

半年後、もし終息していたとしたら、「ステイホームの時間をそのままできてる?」って言いたいですね。コロナが落ち着いているかどうかは全然わからないけれど、多分どこも活発にはなりますよね。そういうときこそ、休日にお金をかけ始めるときだと思っていて。そこで僕らが足並みを揃えて、よしもう1回やるぞって忙しくするよりかは、僕らはコロナ禍でも自分たちのペースで動けていたし、すごく良い時間を過ごすことができたので、周りの流れに触発されないように「あの時間、見失ってない?」って思うことで僕たちらしさが出るのかなと思っています。

1984年、宮城県塩釜市生まれ。代々木上原にて夫婦でレディースのヴィンテージショップ「minoi」を立ち上げ、洋服だけにとどまらず、空間でヴィンテージの良さを表現している。"minoi"という屋号はご自身の息子の名前から。

CREOLME

Container WEBにてスペシャルコンテンツ配信中。
https://container-web.jp/by/34399.html

7

いつまでも夢を見たいし、
夢を見せられる
存在でありたい。

OKAMOTO'Sボーカリスト

オカモトショウ

続けていたら仕事になっていた

OKAMOTO'Sという4人組のロックバンドをメインに活動しています。同じ中学校のクラスメイトが軽音楽部に集まってバンドを組んだのが始まりです。バンドをはじめた当時は「俺たちバンドで成り上ろうぜ!」みたいな意識は特になくて、みんなで集まって音楽作って、ライブしてというのが楽しくてやっていました。そのまま変わらず続けていたら、今に至ったという感じです。ただ、いくつか「プロとして音楽をしていくことになるんだろうな」と意識した分岐点はありましたね。高校生になってオリジナル曲を作るようになって、ライブハウスにも出始めて、17歳の時に初めて自分たちでレコーディングをしたんです。18歳でインディーズで1stアルバムをリリースして、そこが「プロっぽいな」と意識した最初でした。自分たちが作った楽曲がCDになるっていうのはやっぱりテンション上がりましたね。そのCDをドラムのレイジが今の事務所に送ったんです。そこで反応があって、育成契約という形でプロのミュージシャンとしての活動が始まりました。アマチュアでやっていたときは、バンド活動で関わる人は基本的にライブハウスの人たちで、特に僕たちは新宿の「レッドクロス」っていうライブハウスをホームにしていたんですけど、そこのスタッフとのつながりくらいでした。でも、育成契約をしてからは、ライブハウス以外の関係者も増えて、この人たちと一緒にこれからチームとしてやっていくんだなと思い、音楽を仕事にする意識は強くなりましたね。それに、ギターのコウキは大学まで卒業しましたけど、レイジは高校卒業後、進学しませんでしたし、僕とベースのハマも1年だけ大学に通って、育成契約から本契約になるタイミングで休学や退学という道を選んだので、後戻りはできないじゃないけど、ここから行くところまで行くしかないでしょと強く思いましたね。

厳しかった両親の反応

僕の父親も音楽を仕事にしているので、やはり意識をするところはありました。母も音大を出てクラシックピアノを学んでいましたし、音楽家系でしたね。両親がいわゆる会社員的な働き方ではなかったんで、自分もどこかの企業に勤めるサラリーマンのような生活とは違っていても、そんなに不安はなかったというか、抵抗はありませんでした。逆に親の方が不安に思っていたみたいですね。特に母親からは、僕を含め兄弟に「あなたたちのお父さんのような厳しい世界に進んで欲しくはない」とか、「音楽を仕事にするということがいかに大変なことかわかっているの」というようなことを口すっぱく言われていましたね。その影響もあってか、音楽を仕事にすることは僕自身もはじめは半信半疑でした。「学生の頃から遊びでやってたことの延長だし、そんなに甘くないよな」みたいな。覚悟や実力があったらお金を稼げるという世界ではないと思うんですよね。難しい世界だなと。ただ、そんな中で僕らの場合は幸運なことに音楽を仕事にする道が拓けたので、挑戦してみたいという気持ちになりました。育成契約をしたタイミングで大学入学が決まっていたんですが、僕としてはミュージシャンとしてやっていきたい思いが高まっているから、学校に通うのはもういいんじゃないかって親に話したりもしましたね。そしたら、「あなたは大学に行くって約束したでしょ。音楽を仕事にするのは甘くないし、そこは両立しなさい」と平行線でしたね。そんな感じだったので、親は尊敬していますし、何だかんだ気にかけてサポートしてくれていますけど、親が音楽を仕事にしていたことでのアドバンテージというのはあまりなかったような気がしますね。

とにかく音楽を続けられている幸せ

音楽を仕事にしていることでのやりがいっていうのは、何をおいても、圧倒的に「音楽をやれている」ことですね。それだけで十分。音楽を作っているのが楽しいし、演奏しているのが楽しい。そこにプラスして、ライブや音源で自分たちの思いがお客さんに届いた喜びもある。好きなことをやれているっていうことに尽きますね。こんな感じなので、ストレスフルな状態があっても、音楽を作ったり、演奏できていれば問題ないですね。音楽に触れているときが一番バーっと心を解放できて、ストレスが飛んでいく気持ちになります。いろんなメディアで「最近の趣味はなんですか?」と聞かれることも多いですが、音楽関係のことしかないんで、面白い回答ができなくて困ります(笑)。

自分たちの先の先まで届けたい

音楽を仕事にすることでの大変さという面でいうと、音楽を作ったり、演奏力の向上という部分では、もう10年以上もバンド活動をしているので、煮詰まったときの解決方法や気持ちのコントロールみたいなことは自分たちである程度持っているので大丈夫なんです。大変だなと思うのは、今のレーベルに所属して音楽活動を続けてきたことで関わる人たちも増えて、自分たちが発信したいことをその人たち全員に共有していく難しさですね。マネージャーやレーベルのA&R、地方プロモーター、イベンター、関わる人が増える中で、チームとしてみんなでバンドのやりたいことを共有して、いい音楽を届ける。いい音楽を作るのはプロとして当たり前のことで、それをどう関わってくれている人たちの先の先まで共有していくかということが、重要で。そこが面白くもあり、一番大変な部分でもありますね。

10周年を実感した武道館ライブ

一昨年、バンドとして10周年を迎えたときに武道館でライブをしたんです。初めにも言いましたが、僕たちは「音楽で成り上がろう!」みたいなテンションのバンドでもなかったので、「武道館でライブって感じでもないでしょう」というところも最初はあったんです。「みんな武道館でライブしたいって言うけどどうなのよ」みたいな。でも、10年を迎えるにあたって、ロックバンドとしてここまできたぞっていうひとつの通過点として、武道館でのライブを決めました。OKAMOTO'Sってビジネスを考えて行動しているバンドじゃないんです。この層を狙うならこういう曲を作ろうとか、ここにリーチすればこれだけ売上げが見込めるとか、そういうマーケティング的なことをしてこなかったんです。僕らはバンドはそういうことをするもんじゃない、バンドの魅力はそこじゃないでしょうっていうスタンスで、わがままにやってきたんです。でも、そんな自分たちのスタンスでも10年やってきて、ファンも徐々に増えていって、届く人に届いたら刺さって離れない強度の楽曲を作れている自信がありました。そういう自分たちのやり方でここまできたんだっていう形を残したかった。正しいことをやってきたんだじゃないですけど、僕らは間違ってなかったことを証明したかった。実際ライブ開催が決まると、やっぱりロックバンドにとって武道館は特別な場所で。ビートルズが来日して初めてライブをした場所ですし、他の場所にはないエネルギーがある場所なので、いくら自分たちがひねくれていても、そこのすごさは素直に認めようって感じになりました(笑)。僕らのバンド活動の中でも最大のキャパシティの舞台だったので、埋まるか不安な部分もあったけれど、無事にソールドアウトできて。それで次に進めるなっていう安心感と達成感がありました。ただ、僕らにとっては通過点だったので、ライブ中に泣くとか、そういうのはなかったですね。ここではまだ終われない、いい意味で日常感もありつつやれたことがハイライトでしたね。

30代になっても変わらない

30代になって自分の何かが変わったという感覚はないのですが、単純に記号として30という年齢になると周りの人が話を聞いてくれるようになったなというのは感じますね。19歳からプロとして活動して、最初は高校生に毛が生えた程度にしか思われていなかったと思うんです。内容的にも少しやんちゃなことを言っていたのかもしれませんが、やっぱり子供が言っていることみたいに流されるムードを当時は感じていました。今も、スタンスは変わらず一貫していて、根本的に昔から言っていることは変わっていないと思うんですが、ちゃんと聞いてもらえるようになって、その部分では年を重ねたことを実感します。当然、自分の主張を聞いてもらうぶん責任も大きくはなりますけどね。バンドを仕事にしているというところも、自分の年齢を感じづらくさせているのかもしれないです。普通の会社だと、毎年のように新入社員が入ってきて、後輩ができますよね。バンドは自分たちで完結しているから、後輩という存在が基本的にいないです。自分たちを慕ってくれる年下のバンドがいても、「お前あそこの歌詞はこうだろ」とか、「あの演奏は違う」とか言うことはないですからね(笑)。会社に後輩ができて、教育係になって指導してるとか、知り合いから聞くとすごいなと思っちゃいます。

何があってもやることは一緒

コロナの影響での一番の変化はライブですね。10年やってきて、ライブができない年は、初めてのことでした。それでも、僕らはまだ10年くらいしか経歴がないからショックは少ない方なのかなと思います。それこそ、何十年もバンド活動を続けてきた50代、60代の方からしたら、途轍もない変化だろうし、この状態をどうやって乗り越えるのかって難しいことだと思います。大まかに僕らミュージシャンがやっていることの流れってシンプルで、曲を書いて、レコーディングをして、プロモーションをして、ツアーに出るという流れです。今は最後のツアーができない状態です。なので、そこに関わるライブスタッフをやっている現場の方も厳しいと思います。そういった方々に比べたら、僕らがコロナによって受けた変化は小さいものだなとも思いますね。僕個人でいうと、ライブができないんだったら、そのぶん制作に時間を費やそうとか、今までの倍の時間を使えると言ったら変ですけど、そういう部分で変化はありました。ただ、コロナであろうが、なかろうが格好いい音楽を演奏して世に出すという信念は変わりませんでしたね。逆にそこは揺るがないなと強く思えたことは、いい発見だったかもしれません。

コロナ禍で作ったソロアルバム

コロナ禍では、ソロアルバム『CULTICA』の制作もしました。バンドで楽曲を作るときはスタジオに入ってメンバーと演奏して作っていくんですけど、今回のソロは自宅でパソコンを使ってなるべく作ってみようと思って、一度もスタジオに入らずにパソコンの中だけで楽曲を作りました。いつもバンドで楽曲を作るときに、元になるデモを持っていくんですけど、僕のデモってすごい感覚的に作っているから、バンドメンバーも最初聴くと「なんだこれ?」みたいな感想で(笑)。いい意味でまとまりがないというか型にハマっていない感じがあるみたいで。今回のソロに関しては、そのデモの世界をそのまま表現してみました。自分でも予想外の仕上がりでバンドとはまた違うものにできて新鮮でしたね。

音楽ファンに届けたい一心で開催した有観客ライブ

2月には13ヶ月ぶりにお客さんを入れてのライブをしました。有観客でライブをするという決断は本当に難しいことでした。配信という手もあったんですけど、ライブは生で体感してもらいたいし、お客さんもそれを望んでいる人の方が多い。でも、会場に来てもらっても前のようにみんなマスクなしで声を出したりできる状況でもない。人によっては、来てみたら思ったより人が多いかもとか、距離が近いかもとか思う人もいると思いますし。そういったことが気になってしまう状況で本当に音楽を心から楽しめるのかなっていうのは悩みましたね。でも、同時に音楽ファンとしての自分を考えたときに、僕も行きたかったイベントが泣く泣く中止になっちゃったりして、悔しい気持ちになったりとかしてたんで。野外だから大丈夫、観客を減らしているから大丈夫とか、そういうところはそれぞれ来る人が線引きして、自分の責任で選択してると思うんですよね。現場の人たちを見てる立場からすると、徹底して対策しているし、結果、音楽イベントでクラスターって起こっていないわけですし。それならライブ行きたいっていう人の気持ちすごくわかるんです。楽しいことを全部禁止されて、仕事だけして生きていけるわけないんです。一年以上そんな状態が続いていて、そんなムードを打破したかった。だから、厳しい状況の中ではありましたけど、来たいと思ってくれた人たちに自分たちの音楽を届けられたことは嬉しかったし、本当にライブをやって良かったなと思いましたね。

バンドを続ける秘訣

もう10年以上も一緒のメンバーで続けているバンドですが、意識的に続けなきゃと考えたことはないですね。どうやって続けていくかを考える間もなく、その前に次どうする? あれやる? これやる? というのが出てくる状態を続けてきたから続いているというところなんだろうなと思います。逆にどうやって続けていこうかって考え始めたら、バンドが良くない状態なんだと思いますね。僕らのバンドってリーダーがいないんです。それぞれが主役。いろんな先輩に「リーダーがいないのはマズイよ。すぐに解散しちゃう」と言われていたけど、結果、今まで続いているんでこれで大丈夫なんだと思ってはいるんですけど(笑)。アイデアもメンバーが集まれば尽きることはありませんね。正直、ものづくりをする上で同じメンバーでずっとやり続けるってすごく不自然なことだと思うんです。その時々で自分の好きなものって変わるじゃないですか。人との付き合いだって、最近この人とよく会ってるなとか、ふと思ったりするじゃないですか。だいたい3～5年周期くらいでそういうのって変わっていく気がするんです。そういったことを無視してずっと同じ集団で次はどうする？ って考え続けてるのって変なことだと思うんです。でも、それが故に僕は格好いいことだなとも思っていて。続いているだけでめちゃくちゃかっこいいというか。ローリングストーンズが70代で解散せずに続けているのってめちゃくちゃすごいじゃないですか。彼らが格好いいのは昔から一番前を走り続けて、今もなおバンドを続けているということだと思うんです。一度は夢見るじゃないですけど、こういうことがずっとやれていたらいいよなっていう夢を見せ続けてくれる人たち。誰かが途中で無理ってなったことを、この人たちはずっとやっているんだみたいな。誰かに夢を見せられる相手であることってすごいと思うし、人によってはスポーツ選手とかに抱く人もいるだろうし、最高峰の山に登る登山家に抱く人もいるだろうけど。その限界を超えてみたいなところはやっぱり行ける人しか行けないと思うので。僕たちの場合はそれがバンドなんだろうなと。バンドを続けるってことなんだろうなとは、ずっと思っていますね。

今後挑戦したいこと

今、コロナ禍ということもあって、音楽制作をメインにシフトしていたので、バンドで「連続リリース」ということにチャレンジしていたんです。毎月連続で楽曲をリリースしています。今はストリーミングサービスが全盛なので、そこでどうやって音楽を届けたらより多くの人たちに触れてもらえるかというところを考えてやり始めたことです。日本は世界でも珍しくいまだにCDの売り上げがそれなりにある国で、僕らが所属しているレーベルは大きな会社だからまだCDを作ることが前提にはなっていますが、どんどん変わろうとはしているんです。今、5ケ月連続でリリースをしていて、まだまだ続いていく予定です。ちょうど時代の潮目にあると思うし、コロナという状況もあるので、みんなで新しいことをして、面白い方に動かしていこうと。テクノロジーが発達していく中で出てくるエンターテインメントの楽しみ方で、自分たちがいいなと思うものはどんどん挑戦していきたいと思いますね。そうじゃなきゃ、今の時代に活動している意味がないから。新しいものを取り入れて、自分たちなりに格好いいやり方を発明していければいいなと思っています。

ロックバンドOKAMOTO'Sのボーカリスト。2021年4月に自身初のソロアルバム『CULTICA』をリリース。バンドとしては2021年からマンスリーでの連続リリースを続けており、今後もリリースが期待される。

the moment.

働く現場。

RYOHEI AMBO

大工をしている友達の建築現場。大工という職業は日本の文化であり、建物は私たちの生活と密接であるにも関わらず、大工を目指す若者が少なくなっていると聞いた。そこで、友達に頼み彼の働く現場を写真に収めることにした。

安保涼平／フォトグラファー大野隼男に師事。2021年独立。雑誌やファッション、アーティスト写真を中心に活動中。

8

「素直に、謙虚に、前向き」に。夢はオリンピック。

バレーボール選手

小野寺太志

野球少年だった僕がバレーボールを始めるまで

僕はプロのバレーボール選手ではなく、JT（日本たばこ産業株式会社）の一社員として、社内のバレーボール部に所属しています。社員とはいえ、スーツを着て営業をしているわけではなく、主な仕事は、やはりバレーボールの練習ですね。Vリーグ開催期間中は火曜日から木曜日が練習で、ほとんどの場合、木曜日の午後に試合が行われる街に移動します。金曜日はそこで練習して週末が試合、帰ってきて月曜日はお休みというルーティンが基本です。シーズン中は毎週のように試合があります。今シーズンは東北にも九州にも行きましたし、常に全国各地を移動して試合をしています。

バレーボールを始めたのは、中学3年生のときです。それまでずっと野球部に所属していたのですが、大会が終わって引退したあとに、長身だった僕は、両親のつながりで突然バレーボールの県選抜の選考会に招待されたんです。もともと両親がバレーボールをしていたんです。当然、当初はあまり乗り気ではなかったのですが、半ば強引に練習をさせられていたらそのまま県選抜に選んでいただけたんです（笑）。正直に言えば、小学生の頃から野球を続けてきた僕にとって、高校生になっても仲のいい友達たちと野球をしていたいという想いもありました。でも、そうやってバレーボールを続けているうちに少しずつ楽しいと思えるようになってきて、だんだんと野球からバレーボールへと興味がシフトしていったんです。

とはいえバレーボールの県選抜に選ばれたといっても、そのときは体育の授業でやったことがある程度。選抜はレベルも高く、背の高い人たちばかりだったから、最初は不安でいっぱいでした。でもいざ練習を始めると初心者の僕にも誰もがとても優しく指導してくれたんです。何よりも僕のことをしっかり「チームメイト」として迎えてくれたことに本当に助けられました。なので、楽しいこともたくさんありましたが、それでも自分と周りのレベルを比べてしまうと、やっぱり落ち込むことも多かったですね。

高校に入学するとすぐに試合に出していただけるようになったのですが、そこでも「本当に自分が試合に出ていていいのだろうか？」という想いもありました。最初は身長が高いだけの何も出来ない選手だったので、試合に出ることが辛い時期もあったんです。それでも周りのみんながいつも僕の練習に付き合ってくれたし、先輩たちも親身になって面倒を見てくれました。そういう人のおかげで、こうしてずっとバレーボールを続けてこられたんだと思っています。バレーボール経験者である両親からは技術的なアドバイスは特になくて「慣れるまでたくさん練習しなさい」と言われるばかりでしたけど（笑）。

僕が通っていた高校は県内唯一のバレーボールの強豪校

で、僕が1年生と2年生のときは、先輩たちのおかげで全国大会に出られていたんですよ。でも自分たちが3年生の年に、県予選で負けてしまったんです。「自分たちの力じゃ勝てないんだ……」と、とても落ち込みました。初めての挫折だったかもしれません。勝って当たり前といわれているチームにいながら、自分たちの世代は勝てなかった。悔しかったし、自分の力不足を改めて思い知らされました。このままじゃ本当に「ただ背の大きな選手」で終わってしまうな、と。だから大学に入ってからはそれまで以上にハードに練習を重ねました。今もシビアなバレーボールの世界でプレイし続けていられるのは、この経験があったからですね。あのときそれほど努力をせずになんとなく全国大会に出られてしまっていたとしたら、自分ではこんな風に変われなかっただろうと思います。

まわりの力に後押しされて

不思議な縁で始めたバレーボールですが、続けていく中でどんどんバレーボールを好きになっていきました。周りの人たちのおかげで自分がどんどん上達していくのを感じてもいました。こうしてバレーボールを続けてきてよかったと思いますし、今はこれまで応援してくれた方たちに自分が活躍している姿を見せられることが一番のやりがいですね。

始めた頃もいろいろ試行錯誤しましたが、その頃より格段に技術が向上した今でも、いつも「ただなんとなくプレーしたり練習している」だけではダメだと自分に言い聞かせています。どれだけ上達しても、周囲にはいつだって自分より上手い人、優れた選手がたくさんいる。そういう中で、どうやったら自分が試合に出たときにいいプレーができるか、どうしたら今より少しでもレベルアップできるのか、そうやっていつでも現状の自分自身の姿とまっすぐ向き合うことが大事なんです。だとしたら、バレーボールに関わるあらゆるプロセスを無駄にすることはできない。そうやって、ひとつひとつのプレーや練習の中で、どんなときでも「考える」ということを意識しています。

また、僕は、いつもこの場所にいるプレーヤーの中で「自分が一番だ」という強い想いを持って試合に臨んでいます。日本代表に選ばれて注目されるような立場になれば、当然他のチームからは厳しくマークされるようになるし、チーム内においてはそれまでよりも大きな期待をされる、という別のプレッシャーがあるんです。そうしたハードな状況の中で常に期待以上のプレーをするためには、自分はどんなときでもこれだけのプレーが出来るのだという「自信」と、自分が一番だという「強い意志」を持つことが大事です。その自信の裏付けになるのも、結局はどれだけ考えて練習したか、に尽きるんです。要するに練習は試合で揺らぐことのない自信を持つために行うもの。だから自分自身が本当に自信を持てるまで、とにかく練習し続けるしかないんです。

支え、支えられ、コロナ禍を乗り越える

コロナ禍の影響でVリーグの試合は、来場できる観客が会場の規模の50%になってしまいましたし、ファンの方の出待ちが禁止になったり選手に差し入れを直接渡すことができなくなったりと、さまざまなことに制限が設けられました。昨年まではホームゲームであればサイン会などのイベントもしていたのですが、それもほとんど中止になってしまった。ファンの方と触れ合う機会がなくなってしまったことは本当に残念です。もちろんファンの方々には試合を楽しんでいただいたり、結果で満足していただくことが一番大事ですが、やっぱりいつも変わらず応援してくださるファンのみなさまに、直接言葉を返したいという想いは強いですね。それでも、試合の配信サービスを通じて画面越しに応援してくださる方やSNSを通じて温かい応援メッセージをくださる方もたくさんいらっしゃって、こんな状況になってみて改めてたくさんの方に応援されているんだなと実感できました。僕自身もなんとかファンのみなさまとコミュニケーションを取りたいと、自粛期間中にはインスタでライブ配信も試みました。ひとりのときもあれば、選手同士のときもありましたが、やっぱりひとりは恥ずかしいです(笑)。それでも「またライブ発信をして欲しい!」とファンの方に喜んでいただけて嬉しかったです。緊急事態宣言中で外出さえも難しくなる中で、医療従事者の方々や飲食店で働いている方のようにとても苦しい状況に置かれながらも、僕たちのことを応援し続けてくれる方もたくさんいらっしゃいました。そういう方たちの努力のおかげで僕たちみんなの生活は守られていると感じているのでライブを通して心から感謝の気持ちを伝えました。そうやって、もっと誰もがお互い思いやりを持てるような社会になったらいいですよね。いつもそういう気持ちでいれば、いつかその思いやりが自分に返ってくるんだと思います。コロナが収束したら、個人としてはまず友達に会いたいです。高校、大学、地元の友達になかなか会えていませんし、地元にもほとんど帰れていない状況なんです。とにかくみんなで集まって、自由にお酒を飲みながら語り合いたい。選手としては、満員のお客さんの中で試合をしたいですね。でも今はやっぱり感染対策が一番大切です。もし僕がコロナになってしまったら、会社の寮で一緒に暮らしている人たちにも、一緒に練習している他の選手にも迷惑がかかってしまいますから。僕の立場上、世間でもちょっとしたニュースになるだろうし、そうなれば所属しているバレーボール部を含めてバレーボールそのもののイメージダウンに繋がりかねません。やはり僕は個人ではなくチームで活動しているので、普段から人一倍感染対策には気を遣っているつもりです。

オリンピック、そしてその先へ

やっぱり自分が成長し続けるには、いつでも目標設定が必要なんです。そういう意味では、僕はずっと高校と大学の先輩であり、今も同じリーグで戦っている富松崇彰選手を目標にバレーボールを続けてきました。今こうして自分が同じリーグでしのぎを削る立場になれた。具体的な目標があったからこそ、頑張り続けることができたんです。目下の目標は、やはりオリンピックに出て活躍すること。今は日の丸を背負って国際大会で活躍するんだ、という強い想いを持って日々練習や試合に臨んでいます。当然代表に選抜されるために、選手間での熾烈なポジション争いなどもあるから、ここからが本当に勝負の時期。さっきもお話ししましたが「自分が絶対に一番だ」と信じられなければ、試合ではいいプレーができない。だからとにかく「考えながら」練習を積み重ねる毎日です。

バレーボールを始めたことで僕の人生は大きく変わりましたし、これからもずっとバレーボールに関わっていきたい。今は競技人口が年々減っていて、バレーボールをしたくてもその環境がない子供たちが増えているんです。僕はもっともっとバレーボールの人気を高めたいし、競技人口を増やしていきたいです。所属しているバレーボール部はオフシーズン中に小学生たちにバレー教室を開催しているので、子供たちにバレーボールの魅力や楽しさをもっと知ってもらいたい。いつかその子たちの中から日本代表として活躍するような選手が出てきたらうれしいですよね。

父のことばを胸に

子供の頃、よく父親が「素直に、謙虚に、前向きに生きなさい」と言っていました。自分は何かが特別な人間ではないけれど、素直に、謙虚に、前向きに向き合ってきたから、いつもたくさんの人が助けてくれたのだそうです。僕もバレーボール選手だからと言って、試合で活躍して自分だけ満足するような人間にはなりたくない。どんなときでも父の言葉のように真摯に生きていれば、苦しいときに手を差し伸べてくれる人もいるはずだし、そういう誰かの助けにいつも感謝しながら自分自身と向き合っていれば、選手としても人としても必ず成長し続けられると信じています。

1996年、宮城県名取市生まれ。東北高校では春高バレーに1年生から出場、東海大学では3年生の時に日本代表に選ばれる。大学卒業後はJTサンダーズ広島へ入団し、日本代表としても活躍中。INSTAGRAM @jt_thunders_hiroshima_official

チームの最新情報はこちらをご確認ください

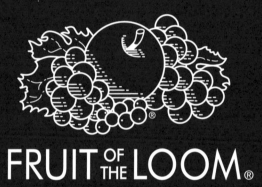

9

人とのつながりが開いた新たな道。

フリーランスPR

勝山龍一

キャンプ場PRとして新生活スタート

18年間のサラリーマン生活に終止符を打って、4月からフリーランスのPRとして独立しました。今は山梨県道志村にある「水源の森キャンプ・ランド」というキャンプ場のPRをメインに活動しています。ここは〝Mountain Research〟の主宰者である小林節正さんが初めてディレクションしたキャンプ場で、もともと道志村の施設だった場所を改修して利用しています。今年3月にグランドオープンしたばかりなので、これからとにかく積極的にPRして、たくさんの人に知ってもらいたいですね。前年比もないし、やればやるだけ自分にチャンスがあると思っています。

18年間勤めたサラリーマン時代

4月に転職するまでは「ベイクルーズ」という企業に勤めていました。アパレルの企業としてはお洒落感を全面に出していないのですが、「内に秘めたセンスの良さ」というか、他のセレクトショップとは一線を画した独特の雰囲気に学生の頃から憧れていた会社だったんです。〝JOURNAL STANDARD〟というブランドのスタッフとしてキャリアをスタートし、その後、インテリアブランドの〝ACME Furniture〟がベイクルーズ傘下になったタイミングで、インテリア事業部に異動しました。店長を任されたり、ヴィジュアルコーディネーターを担当したり、並行してプレス業務をしたり、ベイクルーズに勤めていた間は本当にさまざまなことにチャレンジしました。僕が関わった仕事の中で特に印象深かったのは〝journal standard Furniture〟というインテリアブランドをゼロから立ち上げたときのこと。創設メンバーのひとりとして、ブランドが世の中にお披露目されたときの達成感は本当に大きかったです。もうひとつは、一昨年開催されたベイクルーズ40周年記念のイベントの実行委員を担当したこと。日本の各地で「BAYCREW'S FESTIVAL」というフェスを開催したのですが、とにかく大きなイベントだったので思い出に残っています。

人とのつながりが決め手

本当にさまざまな業務に携わらせていただきましたし、大きな仕事もいろいろと任せてもらってはいたのですが、ここ数年、頭の片隅でなんとなく「ずっとここの会社に居続けていいのかな?」と感じていたんです。あるとき、普段から仲良くしていただいている建材屋のオーナーとご飯を食べたんです。その方は飲食以外にもいろいろな会社を経営されていたので、以前から人として興味があったこともあり、何気なく「なんか面白そうなことないですかね?」と話をしてみたら、「勝くんに適任の仕事があるよ!」と即答で今のキャンプ場の仕事を紹介してくれたんです。もともとアウトドアやキャンプが好きだったのと、コロナ禍で誰も旅行に行けない状況で世の中のキャンプ熱も盛り上がっているし、今キャンプ関連の仕事に関わるのは面白そうだなとすぐ思いましたね。実はキャンプ場の経営というのは、新規で参入しようと思っても、権利や地元との信頼関係などが障壁になってなかなか簡単には始められない。だからそもそも新しいキャンプ場ができるということそのものがとても魅力的でしたし、ビジネスという側面から見ても興味深い話だったんです。とはいえ、そういう魅力的なコンテンツだったことはもちろんですが、それ以上に転職を決意する決め手となったのは自分が信頼する人に紹介していただいた、ということに尽きますね。僕にとって、仕事の上での一番重要なテーマは「人」なんです。すべての仕事において、人とのつながりを大切にしています。だから、金額がいいからといってそれだけで仕事を受けることはなく、「この人と働きたい」「この人とつながりたい」という自分自身の気持ちを何よりも大切にしています。その方が前向きな成長につながると思っていますし、そもそも僕はひとりで黙々と仕事をするよりは誰かと協力し合いながら仕事をする方がいい。だから、雇用条件や会社のデータしかわからないような転職サイトには登録したこともありません。前の会社で働いていたときからずっと、人とのつながりによって、いつかこうして別の道に進むこともあるだろうなと考えていました。だから、この転職は、僕自身の能動的な意志ではなく、人とのご縁と、そのタイミングによって導かれた結果なんだと思います。

前向きな転職

ただ、転職を決心して、具体的な話を詰めていくと、社員として働く予定だったのが「まずは業務委託でフリーランスとしてやってみないか?」と提案していただいたんです。ちょっと予期していなかった展開で、「自分がフリーランスなんて大丈夫かな?」と最初は少し不安でした。それでも、コロナ禍で世界が大きく変化するタイミングでしたし、「まずはフリーでやってみてダメだったらしょうがない」という気持ちでフリーランスにチャレンジしてみることにしました。30代最後の年っていうのも意識のどこかにはありましたね。この先ずっとサラリーマンとして働く未来を想像してみたら、もっと知らないことを知りたい、もっと自由に動いてみたいという気持ちが強くなっている自分に気づいたんです。今までずっと保守的に仕事をしてきたけれど、ここで攻めてみるのもいいんじゃないかと。基本的にはどんなことにも積極的にチャレンジする性格ではあるんですが、18年間同じ会社に勤めていたこともあって、転職に関してだけはずいぶん保守的な考え方だったんです。でも、今の世の中の状況が、僕自身の気持ちも大きく変えました。だって、大きな会社だとしても、何年後かにはどうなっているのかわからない。だったら自分ひとりで生きていく力を養うとか、信頼できる人たちとの繋がりを大切にしてコミュニティ内で仕事を回していくとか、そういうことができた方が面白いんじゃないかなと。企業に属して、会社の方針に左右されるよりは、自分が仕事をしたい人とつながって、一緒に働いて生きていくことを選択するにはちょうどいいタイミングでした。ただ、こうして転職はしましたが、今の自分がこうして働いていられるのは、18年間ベイクルーズで培ってきた考え方やスキル、そしてつながりがあったからです。ずっと真摯に、情熱的に仕事に打ち込める環境があったからこそ自分は成長できたし、こうして新しくやってみたいことに出会えたんだと思っています。ただ、自分の居心地のいい環境しか知らずに、一歩も外に出られなくなってしまう怖さも同時にありました。

フリーランスの不安

まだ、新しい仕事を始めたばかりなので、正直何が大変かもわかっていない状態ですが、これから少しずつ難しい壁にぶつかるんだと思います。今までは就業時間や休日がきちんと決まってるルールの中で働いてきました。でも、フリーランスはそうはいきません。自分でスケジュールを立てて、ここは働く、ここは休む、ここでどこに行く、などすべてを自分自身の意思で決めていかなきゃいけない。やりがいを感じつつも、上手く波に乗れるようになるまでは、不安もありつつという感じです。仕事の内容よりも、働き方そのもののスタイルの変化への不安の方が強いかもしれません。それに今までは当たり前に受けられていた福利厚生がすべてなくなったことも大きい。何よりもこれから税務署に青色申告の用紙と開業届けを出して、保険や年金などの手続きをしなければいけないことが憂鬱で(笑)。一番苦手な作業なんです(笑)。

とにかくやりたいことをやってみる

今の自分の選択が正しいかどうかは転職をしたばかりだからわからないけれど、興味があることが見つかったなら、まずは転職してみたらいいんじゃないかなと思いますね。実際、「どうしてもっと早く転職しなかったんだろう?」と思うこともあります。キャリアを重視するという価値観ではなく、やりたいことをしてみたいという価値観の人ならば、転職はおすすめです。世の中も長く勤めることが素晴らしいという風潮でもなくなってきてますし、自分が本当にやりたいことを仕事にして食べていく方が健全だとも思います。でも、ネガティブな転職はおすすめしません。「またいつか会社に戻ってきてほしい」と言ってもらえるような状態が一番いい。幸いなことに僕は前職を辞めるとき「ダメだったら、またうちの会社に戻ってきたらいいよ」と言っていただけるような関係性でした。そのことは今もとても感謝していますし、「意外と自分が好かれていたんだな」って、ちょっと嬉しかったです(笑)。

これからのこと

現在は東京と山梨の「水源の森キャンプ・ランド」を行ったり来たりしていて、キャンプ場のオフィスに寝泊まりしています。僕自身としては、バンライフというか、車中泊なんにもチャレンジしていきたい。仕事では、本当に自然が豊かなこの唯一無二の場所の魅力を最大限に伝えられるように、とにかくPRを頑張っていきたいです。都会の生活に少し疲れたサーティーエイジャーズの方々に、ぜひ焚き火や渓流釣りを楽しみに来ていただきたいです!

アパレルやインテリアブランドのプレス業務を経て、現在フリーランスPRとして活躍中。山梨県道志村にある「水源の森キャンプ・ランド」のPRをメインに活動。餃子とアウトドア、吉祥寺をこよなく愛している。

the moment.
働く現場。

IBUKI

2020年8月にサンフランシスコのフラワーガーデンでこの写真を撮りました。市内の庭園を探索していたところ、庭園で働いているひとりの男性に会いました。彼が植物を観察している後ろ姿が目に留まり、写真に収めました。

IBUKI／1993年群馬県生まれ。2016年からLAに移住し、主にアナログメディアを通して多様な人種、文化、Californiaのランドスケープの写真製作を始める。

10

いくつになっても、つねに新しいことをやり続けていきたい。

AMORE n AMIGO MIYAKO ISLAND店主
佐藤壮太

宮古島に新たな文化を根付かせたい。

宮古島を拠点とした「AMORE n AMIGO MIYAKO ISLAND」という飲食店の店長をしています。2021年の4月にオープンしたばかりで、イタリアンとメキシカンをミックスさせた料理とカクテルを売りにした、キッチンカースタイルで営業しています。今は、宮古島内でランチやディナーの移動販売と、宮古島のすぐ隣にある来間島のグランピングリゾート「RuGu」で朝食の販売をしています。「RuGu」ではホテルの一角にキッチンカーを停めて、出来上がった朝食をテイクアウトスタイルでお届けするのですが、僕が人と話すのが好きなので仲良くなったお客さんもいます。インスタを交換したらその人がお店のことを投稿してくれて、そこからまた他の人に興味を持ってもらえることもあって、それがすごく嬉しいです。何より、僕らの朝食によってその人が最高の1日を始められたらと思うと、とてもやりがいがあります。宮古島はお弁当文化が根強くて、移動販売のできるキッチンカーは需要があるんです。他にもいくつかキッチンカーのお店があるんですけど、イタリアンメキシカンというジャンルが他にはないみたいで、気に入ってくださる方も多いですね。とはいえ、まだオープンして間もないので、SNSで情報発信しつつ、もっとたくさんの人に認知されるように種まきをしているところです。

身を削り合う環境で、バーテンダーとして高みを目指す。

それまではホテル「ザ・ペニンシュラ東京」で5年間バーテンダーをしていました。そもそもバーテンダーになろうと思ったのは、青葉台の「BAR ZAZA」というダイニングバーのマスターがめちゃくちゃかっこよかったことがきっかけで。お酒のことをもっと知りたかったこともあって、20歳のときにバーテンダーとしてアルバイトを始めました。ただ、当時はバーテンダーと同じくらい夢中になっていたことがあって、それが大学のサークルで始めたストリートダンスでした。大学時代はバーテンダーとダンスに溺れてたからほとんど学校には行ってなかったですね(笑)。

大学を卒業したあとはペニンシュラに就職したのですが、そのきっかけもZAZAでした。最初は就職せずにダンスを続けていくつもりだったので、そのままZAZAでアルバイトを続けていたのですが、ZAZAの先輩がペニンシュラで働いていて、レベルの高い環境でバーテンダー同士それぞれがしのぎを削りあっているということを聞いたときに、自分もそこに飛び込みたいと思ったんです。それで一旦ダンスから離れて、就職しようと決めたのが2016年の始め頃でした。

最初はアルバイトからでしたけど、すぐにカクテルコンペティションに出場できることになりました。カクテルコンペティションのほとんどの大会はエントリーするだけでは出られなくて、まずは自分の作品を撮影して、エントリーシートのようなものにコンセプトなどを書いて送り、審査が通って初めて競技に出場できるんです。それが、先輩の助けなどもあって1年目で通ったんです。そのことがきっかけでさらにこの世界にハマりました。その後もコンペに出続けて、日本大会では準優勝することができました。リキュールのカンパリのグループが主催する大会では、海外からの出場者が多く、審査員も海外から来日しているのですべて英語でやりとりして進めていくのですが、なにもかもがとにかくハイレベルで。そういった環境に身を置いてきたので、いくらやっても飽きなかったですし、ペニンシュラにお越しになるお客さんも普段会えないような人たちばかりだったので、毎日が新鮮で楽しかった。3年目にはバーのチームリーダーを任されて、そこからマネジメントにも興味を持ちはじめました。

バーテンダーは接客業ですが、職人みたいな部分もあって、お客さんの名前や会話を覚えるといった細かなサービスはもちろんですが、お客さんのニーズを相手に聞かずにいかに理解するかみたいな。駆け引きじゃないけど、先読みして、その人に合ったお酒を提供することがバーテンダーとしての大切なスキルのひとつでした。扱うものはお酒が中心ですが、そこには料理人としての知識も必要だったし、五つ星ホテルのサービスも学べたので、ここでの5年間はとても大きな経験だったと思います。

緊急事態宣言は緊急事態ではなく、チャンスを掴むためのきっかけに

2020年4月の緊急事態宣言中は自分の中でもターニングポイントでした。ペニンシュラも3ヶ月近く休業になりましたが、その期間はいろいろなことを考えながら、修行僧みたいな毎日を送っていました。毎朝10キロ走って、筋トレして、英語とスペイン語の勉強をして、それなりに規則正しい生活をしていたおかげで10キロ痩せました(笑)。それ以外にも小説を書いたり、絵を描いたりしていたのですが、そういったことを無心でやっているうちに頭の中が整ってきて、ピンチをチャンスに変えるにはどうするべきか、周りに流されず自分の目で真実を見極めようとする思いが強くなりました。ですので、いい意味で自分の中では緊急事態宣言は「緊急事態」ではなかったです。

緊急事態宣言が解除されて少し経ったタイミングで、今の仕事のオーナーとたまたま飲みに行く機会がありました。元々オーナーとはペニンシュラで働く前からの知り合いで、今、一緒にお店をやっている相方のつながりで出会いました。オーナーも昔ダンスをしていて、今の相方との出会いもダンスがきっかけだったので、共通点もあってすぐに仲

良くなりました。世界中を100カ国以上旅しながらGoogle mapのピンになる「sasaru project」を行っていた方です。外苑前にあるオーナーのお店にもよく遊びに行きました。そんなオーナーから突然、「宮古島にお店を出したいんだけど、壮太、行ってくれないか?」と話を持ちかけられたんです。そのときはまだペニンシュラで働いていたのですが、とりあえず「行きます!」って即答して(笑)。そこから改めて冷静に考えたんですけど、そもそも「このままでいいのか」というモヤモヤみたいなものは以前からありました。ホテル業をずっと続けていこうとは思っていなかったし、自分のお店をやりたいと思っていたタイミングでもあったから、「これは何かに呼ばれてる気がする」と思ったんです。それで宮古島のことを調べてみると、ちょうど観光バブルというのがあったり、コロナの感染リスクも東京に比べたら少なく、自分で飲食店をやる上での可能性を感じられたので、行くことを決めました。

それで12月末にペニンシュラを辞めたのですが、当時は管理職だったので、辞めると言ったときは、応援してくれる声もありつつ、止められもしましたね。「沖縄行ってどうするの?」みたいな感じで、もしかしたら軽く見られていたところもあったかもしれない。でもそういう言葉が自分の心を奮い立たせた部分もあります。「なめんなよ」って。両親にも相談したけど、僕が新しい場所に飛び込むことが好きなのを知っていたから、「宮古島、行ってらっしゃい」みたいな感じで応援してくれましたね。いつか宮古島に家族を呼べたらいいなって思います。

たくさんの人に支えられながら、念願だったお店をオープン

2021年の2月に宮古島に移住しました。そこから2ヶ月くらい立ち上げの準備をして、まずは人脈を増やすことから始めました。SNSで告知したり、若い子にも来てほしいからTikTokも始めてみたり。でもTikTokを見て来てくれた子はまだいないですね(笑)。それから、業者さんにあいさつして、酒屋や食材の仕入れ先がどこにあるかを把握して。でも、こっちに来て思ったのは、ドン・キホーテに行けばだいたい事が足りるってこと。ドンキに卸している業者が普通の青果店なので、基本的に食材も新鮮なんです。あとは、メニューの考案や収益管理もすべて自分たちでやっています。そういうところもバーテンダー時代の経験がかなり活かされてると思います。

移住してから1ヶ月後くらいに、待望のキッチンカーが届きました。それまでは写真でしか見てなかったので、本当に届くのかなって内心不安で仕方なかったです。それが実際に届いて実物を目にして、車の鍵をもらって「乗っていいですよ」と言われたときが、個人的にはとても思い出深かったです。「これからこいつと一緒に商売していくのか」って。

その後も着々と準備を進めていって、3月20日に「RuGu」でプレオープンしたのですが、こっちに来て知り合った人たちが100人以上来てくれたんです。こっちで知り合った人しかいないから、東京や地元の友達を誘うのとはまた違った感覚で、その日はめちゃくちゃ嬉しかったです。改めて周りの人に支えられていると感じた瞬間でした。

逆に今の仕事で大変なことが、オープンして間もないからまだそんなになくて。手探り状態でやっているから今のところ休みもないけど、楽しいからいいかなって思います。リフレッシュしたいときは踊って汗かいたり、目の前にきれいな海があるからそこに飛び込んでます。バーテンダーのときはほとんど太陽を浴びてこなかったから、こっちに来てすぐずいぶん日焼けしました。もともと自然が好きだったし、今の環境はすごく自分に合ってるなと思います。

自分だけでどうにかするんじゃなくて、周りの人に頼ることも大事

もし今のオーナーに誘われていなかったとしてもホテル業は辞めていたと思います。結果的にタイミングが良かったのかもしれませんが、自粛でいろいろ考えるようになったし、お金のためだけで続けたいわけでもなかったから、いずれにしても環境を変えていたのだと思います。もちろんこの先どうなるかはわからないけど、転職という選択は間違ってなかったと断言できます。

何かに迷っているならまずはやってみることじゃないですかね。やってみてダメだったらやり直せるから、やらないことには始まらないと思います。ただガムシャラではよくなくて、それなりに準備は必要です。「準備なくして、結果はない」。この言葉は中学生の頃からずっと実家の壁に貼ってました。あとは、自分の力でなんとかしようとばかりすると、絶対力尽きちゃうので、周りの人に頼ること。人とのつながりや人を大切にする。愛を持って、そういう気持ちで人と接していくことは、どんな仕事でも、生きていく上でもとても重要だと感じます。

バーテンダー時代の仲間との約束を叶えたい

キッチンカーって基本的に3密を避けられて、かつ飲食店として楽しい空間をお客さんに提供できるものだと思っています。僕らが移住してきたときは島にまだ10台くらいしかなかったですが、今は30台ぐらいに増えてるみたいです。それこそ博多の屋台みたいに、宮古島に行ったらキッチンカー巡りしようみたいな文化がいつか定着すると思っています。そういう「先読み」は常にしています。なので、近い目標でいえば、今は友達の口コミで広まっているけど、ゆくゆくは観光雑誌なんかにも載るような人気店にして、地域に文化を根付かせていきたいです。それと、宮古島には

テイクアウトはあるけど、デリバリーシステムがほとんどないので、それも定着させていけたらいいなと思っていて、実際に僕らのお店でも始めています。いずれは、島の人たちと地域おこしや島を盛り上げるイベントをできたらいいですね。

　それでも今の仕事が人生の最終地点だとは思ってなくて、今回は宮古島だけど、次は別のところかもしれないし、東京で自分のバーを開くのも昔からの夢のひとつです。それはZAZAで同じ日にバイトを始めて、ペニンシュラでも一緒にバーテンダーをしていた同い年の子がいるんですけど、彼と一緒にお店をやることは当時から約束してて。もちろん宮古島に行くことも相談しました。いつか東京でバーを開いてみたいのは、やっぱり東京という街も大好きだし、一番イケてると思ってるからですね。他にもいい場所はいっぱいあるけど、東京で出会った人が一番多いし、いろんなことが始まった場所でもあるので、僕にとっては東京でやることに意味があると思ってます。欲を言えば、海外にお店を出したり、ワイナリーもやってみたい。いつになるかはわからないですけど、まだ28歳だし、人生があと60年あるとして、90歳ぐらいまでは新しいことをやり続けていられたら最高です。

1992年、宮城県生まれ。國學院大学卒業後、ペニンシュラ東京のバーテンダーとしてモノづくりと接客業の極意を学ぶ。2018年カンパリカクテルコンペティションジャパンファイナリスト、2019年同大会で準優勝受賞。その他入賞歴多数。2021年2月に宮古島に移住、イタリアン×メキシカンフードトラック「AMORE n MIYAKO ISLAND」をオープン。ハイクオリティな食事とワイン・カクテルのフードペアリングのテイクアウトなど飲食業の新しいビジネスモデルの可能性拡大に力を注ぐ。INSTAGRAM @sotasato_viva_miyako｜アモーレアミーゴみやこ @viva_miyako

11

前と変わらないよ、とりあえずおどる。

経済学者・詩人

ジョージ・ネルソン

僕にいいバランスを保って、履く二足のわらじ

今はニュージーランドに住んでいて、経済学者とアーティストのふたつの軸で活動しているよ。経済学者としては、コンサルタント会社に勤めていて、企業や政府への経済分析レポートを書いたりしてる。最近だとニュージーランドのギャンブル産業の費用便益分析を計算しました。パチンコとか競馬とか、大きくて複雑な作業だね。他にも本当にいろんなプロジェクトがあって、飛行機の運転免許を持っている人の健康チェックのリスクアナリシスでもやってたよ。隙間産業的なものもあって面白いんだ。アーティスト〝俳句ジョージ〟としては、絵本や詩集を自費出版で作って、日本や台湾やいろんな国に作品を持って行って活動しているよ。2018年に初めて「TOKYO ART BOOK FAIR」に参加して、日本の素敵なアートの世界に仲間入りできた気がしてうれしかったことをすごく覚えている。最近はイラストレーターとしてお仕事を依頼してもらえることも増えてきて、いい感じだよ〜。経済学者として真面目な仕事をしながら、アーティストとして自分の世界観を表現する活動もして、両方でジョージって感じなんだよね。どっちも大事にしているんだ。ときどき、フルタイムアーティストになったらいいんじゃないかって言ってもらえることもあるんだけど、僕にはダブルライフの方がいいの。頑張ればアーティスト1本で生きられる自信があるんだけど、いろんなことが変わっちゃうね。売り物じゃなくて、作品を作りたいね。生きていくためのお金は経済学者として稼いで、アートは妥協なくいける。同時にやって頭がこんがらがっちゃったり、時間が足りなくて大変なこともあるんだけどね。

——あの人ね　かわいいけどね　くつがダメ

ライフって頑張りパーティーで、ハードワークと乾杯サイクル

もともと高校生くらいの頃から、経済もグラフィックデ

ザインも興味あったよね。経済の方がビジネス的で将来性もあるから、その道に進みつつ、アートは趣味で続けようと思って、大学では経済と国際ビジネスについて学んだんだ。今勤めている会社は、大学4年生のときにインターンとして通ってからずっとお世話になってるよ。特別、経済に対してパッションが強いわけではないんだけどね。経済を知ることは世界を知る方法のひとつだと思っていて。経済面を追っていくだけでもいろんなことがわかって、社会を俯瞰して見ることができるのが面白いなと思ってる。ただ、割とハードで、ハイプレッシャーな職業だね。全然知らない業界のことも、ゼロから必死で勉強して、プロジェクトにもよるけど、短くて1ヶ月、長くて5ヶ月とかで専門家レベルに詳しくなって、100ページのレポートを出す。でも、やればやるだけどんどん知識がついてパワーアップして、「〝スーパージョージ〟になってる!」と思って頑張れる。「feel alive. 生きてるって実感できるのが僕は好きなんだよね。それに仕事のクオリティが上がれば遊びのクオリティも上がるよね。頑張ってセレブレートして、リピートして、僕として生きているということだ!

ライフアドベンチャーを五・七・五で

アーティスト〝俳句ジョージ〟が誕生したのはね、実は日本での授業中の暇つぶしがきっかけなんだよね(笑)。2018年に交換留学生として日本にいたとき「授業つまらないなー」と思ってHIPHOPの歌詞を書いてみたんだけど「何これダセー!」って(笑)。「じゃあ日本にいるし」と思って何気なく俳句を作ってみたらなんかいいねこれって。それからはネタ帳を欠かさず持つようになって、人生のいろんな刺激を五・七・五にしてアウトプットしてるんだ。〝俳句ジョージ〟が生まれたのはたまたまでもあるし、運命的でもあるんだ。

自分のフィーリングの表現ができるだけで幸せだけど、ついでにみんなにも読んでもらえて、『パワーもらったよ!』なんて言ってもらえたりするのもすごくうれしい。

車はガソリンで、自分はテクノで

僕、テクノ音楽がめちゃくちゃ好きで、どんなハードワークでも、テクノのDJセットを聴きながら「Yeah~~Fooo~~~!!」って、頭はテクノパーティーにいて体が職場にいるときもある。テクノは僕のガソリンみたいだね。朝から夜までムードにあったテンションのテクノを聴いて、常にガソリンを入れてるんだ。音楽から安心感をもらえるし、頭を結構回せたり将来向けの勢いをすごく感じる。

あとは、めっちゃ走ったり泳いだりするの、ほぼ毎日だね。日常は基本忙しいでしょ、「次はこれやらなきゃー」って。走ってるとリアルライフから抜け出して、頭が自然な状態になって、一番ベストアイデアが浮かびやすくなる。いいマインドリフレッシュだね。体より頭のために運動は大事にしてるんだ。でもこの間気づいたら腹筋ライフに初めて付けていて、「あれ、最高じゃん」って! びっくりした(笑)。

自分が大事にしている価値観とかは変わらないね

コロナが流行してから1年以上経ったけど、経済学者・コンサルタントっていう仕事はラッキーポジションだったのかな。仕事が増えたわけではないけど、減ったわけでもなく。コロナによる金融問題が増えて、地方自治体の金融戦略とか財務モデルを作ったり、依頼内容が変わった感じ。リモートでできる仕事だから、感謝しているよね。ロックダウンされてから、毎日昼間は部屋で仕事して、夜はキッチンでおどりながら料理の勉強をしたよ。コロナのおかげで、経済だけじゃなくて麻婆豆腐も専門家だよ!

アーティストとしての活動には結構影響があったね。新作の絵本『ザ―テクノキウイ』を引っ提げて、台湾・東京・オランダに持って行こうと計画していたんだけど、それが全部しばらくなくなっちゃったんだよね。ちょこちょこオンラインになったのもあったんだけど、本はやっぱりそれが難しいことだね。

まあでもそのぶん、作りたいものを作る時間に充てたり、本を読めたり、ホームページをリフレッシュできたから、逆にいい静かな時間をもらえたのかなって思ってる。アーティストのひとつ感謝している部分は、バッドな状況も作品に活かせるパワー。寂しいとか悲しいとかそういうフィーリングも大事。どんな感情も人間のピュアなものだから大事にしようって思ってるね。

コロナが流行りだして世の中がいろいろと変化しても、自分が大事にしている価値観とかは変わらないね。考え方が暗くならない。座右の銘は「とりあえずおどる」なんだけど、コロナ前も、今も、コロナ後も、変わらず「とりあえずおどる」よ!

――この世界 心配脱げば 美しい

正直な気持ちは逃さない

実は2021年の9月から、日本の大学院で経営学を学ぶことにしたんだ。元々経営学修士は取りたいと思っていたし、絶対にまた日本をホームベースにすると思っていて。「いつかじゃなくてこれからでもいいじゃん」ってコロナ禍に決断して必死に勉強して、希望の大学院に入れることになったんだ。だから、レベルアップしてきてる経済学者としてのビジネスを続けながら、〝俳句ジョージ〟としてメインの俳句もしっかり活動ができる。僕の活動には最高すぎだわ。

ニュージーランドより日本の方がコロナの状況はひどい

から、「コロナでも日本に行きたい?」って言われる。それでも僕は日本に行くしかないんだ。リスクあるんだろうけど、コロナの邪魔はもらい過ぎないよ。何かあっても乗り越えられるよ、ってなんとなく自分を信じてるのかも。だって前回日本で暮らしたときに、肩折れちゃって、ワーホリじゃなくて病ホリになったの。理想じゃなかったけど、ディープなチャプターだったし、看護師の友達が増えたよ。ライフの大きい決定をするときは、やっぱり走りながらがいいんだよね。ディープなところまで考えて、あえて聞かないようにしていた自分の小さい声にも耳を傾けて、正直な本当の気持ちは逃さないようにすることが大事だと思ってるよ。あとはロングタームで物事を考えるようにしてるかな。こうしたらこう出来るとか、先にこうしたら、今度には理想じゃない? とか。順番と戦略だね。たまに我慢が必要だけど、我慢してる間にとりあえずおどればね。

最近、好きなラッパーのインタビューを見たら、「アップダウンがあることはいいことだよ」ってヤング・リーンさんが言っていて。「フラットにするとあれだよ!」って。やっぱりそうだよねと思っていた。上がって行きたいんだけど、仕方なく下がって行くこともあるんだよね。でも何も変わらないより生きてることだよね。僕の2冊目の詩集が『ジョージのジェットコースター』と言うんだけど、ライフって本当にそういうものだと思うんだよね。さまざまなジャーニーだもん。広い川を渡るときもあるし、高い山を登るときもある。でも絶対に、頂上からの景色がすごいし、そこでのビールとカップラーメンはうまい。

――いちじかん早くおきれば海いける

僕とみんなの未来の話

無駄にポジティブってわけではないんだけれど、オプティミストではあるよ。今からだと遠く見えてしまうかもしれないけど、コロナの時期は終わっていくよ。今のライフに影響されちゃってるけど、次のチャプターは僕たちのものだと思う。コロナの状況を自分の人生の邪魔させ過ぎないようにしたいよね。自分は東京だから、どうしても東京にとりあえずおどって行くよ。そこでまたビジネス的な道に行きながら、俳句ジョージとしても発展するのをすごく楽しみにしてるね。四冊目の詩集のイラストを今書いているし、「俳句ジョージライブ」というオーディオデジタルライブを計画してるの。The world is not over. 世界はまだ終わっていない。まだまだクエストは続くし、ダンスフロアがたくさん!

――星多い　夢もいっぱい　がんばろう

1994年、ニュージーランド生まれ。詩人、経済分析者として活躍。2021年10月から東京在住予定。座右の銘は「とりあえずおどる」WEB SITE www.haikujoji.com | INSTAGRAM @haiku_joji

12

プロレスという
エンターテイメントの
新しい可能性。

プロレスラー

定 アキラ

Alma Libre代表

Kaguya Asuka

ふたりを引き合わせた、伝説のプロレスラー

定さん（以下、定）：僕はAlma Libreという団体に所属するプロレスラーです。

Kaguyaさん（以下、K）：私は彼が所属する団体の代表とリングアナウンサーをしています。また、別で障がい者関連の支援事業や医療関係の仕事も行っています。

定：僕の家はもともと家族全員、総合格闘技全般が好きで、中でも父親はアントニオ猪木の大ファン。その影響で僕も子供の頃からプロレスを観に行っていました。プロレスは大きくメジャーとインディーの括りに分かれているのですが、かつてFMWというインディーの団体があったんです。そこにハヤブサという名前のマスクマンがいて、僕にとってはウルトラマンや仮面ライダーみたいな存在でした。そのハヤブサが、小橋建太というレスラーに惨敗するのを見てしまい……、たしか3歳か4歳くらいだったと思います。ショックを受けて、一緒に観戦していた父親に「将来絶対プロレスラーになって仇をとる」と言ったのをよく覚えています。そしたら父が「じゃあまずはレスリングをやろうか」と。地元の自衛隊の体育学校にある「ちびっこレスリング」というスクールでレスリングを習い、中学でもレスリング部に入って、高校の推薦ももらっていました。しかし、どこかで「これじゃないな」という気持ちがあったんです。大勢の人の声援を受けて、スポットライトを浴びて、自分の好きな曲で入場して、そんな華やかなプロレスラーに1日でも早くなりたい。そしてレスリングをやめ、通っていたレスリング教室のツテを使って、アントニオ猪木さんの元で修行ができることになったんです。それが15歳のとき。僕がプロレスラーになったきっかけです。

K：私は熊本にある大学の医学部を出て、東京に移住して医学関係の研究所に勤めていました。その仕事とはまったく別のご縁で、とある芸能事務所にスカウトされて研究所を辞め、音楽活動を始めて最初に舞い込んで来たのがプロ

レス会場での仕事。実は私がプロレス関係の仕事をするようになって最初にプロレスのことを教えてくれたのがハヤブサなんです。プロレスのイロハを教えてもらいながら、個人的に障がい者プロレスのサポート活動もしていくようになり、ハヤブサから「活動の幅が広いから、フリーになれば良いんじゃないか?」とアドバイスをもらいました。そしてフリーのリングアナとなって活動していくうちに、ある大会で定くんと出会いました。数年後、私はAlma Libreというプロレス団体を立ち上げ、今に至ります。なので、これは偶然なのですが、私たちが一緒に仕事をするようになった背景には、ハヤブサというキーパーソンがいるんです。

定：ハヤブサ選手は亡くなってしまいましたが、今でも一番好きなプロレスラー。僕は本人に会ったことがないので、彼女がとても羨ましい。ハヤブサ選手のことを聞きたくて彼女について行きました(笑)。

K：最初はハヤブサのことばかり聞いてきたんです。好きな食べ物とか女性の趣味とか(笑)。

定：仕方ないじゃないですか! 僕からしたらウルトラマンが好きで円谷プロに話を聞くみたいな感じなんです。

K：まさか一緒に仕事するようになるとは思わなかったね。

定：そうですね。僕は15歳でデビューしましたが、20歳の時に首に怪我をしてしまい、医者や家族からも止められ、プロレスラーとしての活動を一度辞めています。自暴自棄になり3年くらいフラフラしていて、親にも散々迷惑をかけました。そんなときに父親が「チケットあるから行くか?」と東京ドームでの新日本プロレスのイベントに誘ってくれたんです。その試合を見て「自分が生きる道はやっぱりこれしかない」と思い、復帰を決意しました。しかし、念願の復帰戦で足首を折ってしまい……、そのときに治療をしてくれたのがAsukaさん。彼女はリングドクターとしても活動しているんです。治療のお礼をしたくていろいろと話をする仲になり、ハヤブサ選手の話で意気投合しました。そして初めて障がい者支援の話などを聞き、自分の知り合いにも障がいを持っている方がいるので、とても共感したんです。僕たち健常者は障がいを持っている方を助けることが当たり前だし義務だと思っていて、自分にもできることがあればと、障がい者支援のイベントに顔を出すようになりました。

それぞれのターニングポイント

K：実は、私が初めて就職したのは食品会社で、子供達の栄養面などを考えて商品開発を担当していました。数年働いた頃、祖父と祖母が倒れて入院してしまい、なるべくそばにいたいと考えていたときに、近くの医大が研究員を募集していたので応募したんです。そして会社をやめて大学院の研究員となり、のちに東京の研究所を紹介され、そこで、最初にお話ししたように芸能事務所のスカウトにあった。それからもいろいろと活動の場は変わりましたが、医療や障がい者に関わる活動はずっと続けていますよ。

定：僕のターニングポイントはプロレスラーに復帰するとき。父親に相談しました。世の中で1番信頼しているし、プロレスを好きになったきっかけでもあるので。最初は反対されましたけど、自分が頑張って理解してもらうしかない。今では家族みんなが応援してくれています。

K：私は祖父と母によく相談していました。祖父はいつも優しく話を聞いてくれる、私の中で神様みたいな存在。母とは喧嘩もしましたが、ぶつかりながらも親身に話を聞いてくれました。もし転職で悩んでいる人がいたら「お金のことは心配しないで」と言いたい。私は最初に転職をしたとき、すごく年収が減ったんですよ。でも多分、もともとの仕事を辞めずに続けていたら、私はもうダメだったと思います。逆に収入は減ったかもしれないけれど、自分の好きなことで生活ができれば絶対に盛り返すことができる。私は教員免許も持ち、医学部も出ているので、周りから「もったいない」と言われることもありますけど、一歩踏み出す勇気がなかったら、こうやって定くんと出会うこともありませんでした。

定：僕は一般的な就職をしていないのでわからないことが多い。でも、転職してすぐにやめてしまう人っていますよね。僕は「何事も1年は続けろ」と言いたい。なんでも我慢しろっていうことじゃないですけどね。あとはどれだけ謙虚に、真面目に生きられるか。そういう姿勢が社会に出たときに大事だと思うし、自分自身にもよく言い聞かせています。

誰もが楽しむことができるエンターテイメントづくり

K：私は去年出産を経験しましたが、妊娠中もリングアナをやっていました。私たちの団体はメディカルスタッフを常駐させていて、妊婦さんも観戦できます。妊婦割や障がい者割引もあるんですよ。あと、今年から始めようと思っているのが、場内に託児所を作ってお子さま連れの方が来やすいイベントを作ること。窮屈な世の中になっているから、それを逆手にとって「じゃあいままで来られなかった人が来られるようにしたらいい」と思ったんです。どんな人でも遊びに来られるエンターテイメントを作れていることはすごくやりがいを感じます。これは胸を張って言える。

定：そうですね。お金を払って観に来てくれるお客さんが、楽しんで帰ってくれるのが生きがい。僕ら選手はお客さんの顔を見ながら試合をします。プロレスに関していろいろと言われることもありますけど、実際プロレスは「マジ」です。だって中には死んでしまう人もいるんですよ。そうやって僕らが命を削ってやっていることを、純粋に応援してくれる人がいる。僕じゃなくても、興行全体を楽しんでもらえたらやってよかったと思える。お客さんありきの商売なので、自己満足だけでは絶対にできない世界です。そこが格闘技とプロレスの違いだと思います。

危険な仕事だからこそ

定：この仕事は明日生きているかもわからないような世界。生半可な練習でできることではないし、投げられたり、殴られたりめちゃくちゃ痛い。けど、お客さんの笑顔がその先に待っていると思うと頑張れるんです。

K：私は選手を看取ったこともあります。試合中の事故でそのまま病院に運ばれて……。団体の代表の私の立場になると、選手の命を預かっているという意識になります。無理をさせてはいけない。メンタルひとつで怪我に繋がることもたくさんあるので、そういったケアも大切。私たちの団体は女子選手がふたり、男子は定くんの他にもうひとり所属しています。なので4人の命を預かり、その先の家族まで背負うのが私の仕事です。

定：危険で大変な仕事だからこそ、リフレッシュする時間は大事。よくふたりでラーメンを食べに行きますよね。

K：そうだね、よく行くかも(笑)。

定：僕はオンとオフがはっきりしています。試合のときは闘争心むき出しで相手を倒す気持ちでいきますが、家に帰った瞬間にお風呂にダイブ。ハイボールを飲んでチーズを食べて、その瞬間が一番幸せ。そういう切り替えができないとこの仕事には向いていないと思います。

新しいプロレスの可能性に向かって

K：新木場ファーストリングという、プロレス団体の登竜門と呼ばれる場所があります。2年前にそこで興行をして、結果は観客150人を越える大成功を収めました。終わった瞬間はいろんな感情が溢れて泣き崩れて。本当にやって良かったと思いました。

定：緊張もしたけれど、達成感があった。緊張しない人はプロじゃないと思います。だからこそ、その緊張から解放されたときはとても幸せ。僕にとっては今の団体でやったひとつひとつのイベントすべてが思い出です。今後は誰もが当たり前に自分たちの団体の名前を知ってくれるように頑張りたい。定アキラ個人としては、僕がハヤブサ選手に憧れたように、「定アキラみたいなレスラーになりたい」って思ってくれる子供たちが増えてくれたらうれしいです。

K：団体を立ち上げて3年目。有名になることはもちろんですが、もっと初めてのことに挑戦したい。プロレスと障がい者教育をミックスさせたいんです。障がい者の彼らには、定くんと一緒にいるときにしかできないことがいっぱいあるんですよ。例えば、ひとりで食事ができない障がいを持っている子も、定くんが一緒にいるとひとりで頑張って食事をしようとする。そういうことは私たちが教えてもできない。彼らがそばにいることでできることが増えるのであれば、そういう新しい形の教育があってもいいんじゃないかと。私はそれを実現させたい。

自分を鼓舞する大切な言葉

定：僕自身が大切にしているのは、「心のコンパスに従う」という言葉です。

K：シンドバット！

定：そう、絵本の『シンドバット』の言葉。人は誰でも自分を見失うことがあると思うんですよ。そういうときこそ自分の心のコンパスに従って、自分がどこに行きたいのか考えてみる。それこそ僕みたいな仕事なんて、自分のことが好きで信頼していなかったらできないですからね。リングの上では自分が世界で一番かっこいいと思っています。

K：私は「私自身が答え」と思って生きています。すべてを決めるのは私であって、私しか答えを持っていないんですよね。たとえその決断が間違っていたとしても、その間違いをどう巻き返すかは自分で考えるしかない。コロナの影響で余計にそう思いました。答えは自分しか持っていない。そして何かを正解にしないと人は前に進めない。

取り戻したい日常と、未来の話

K：コロナの影響で、一時期仕事がまったくなくなりました。私は医療関係の仕事も行なっているので、患者さんや職員がナーバスになるのも身近で感じました。定くんのマネジメントもやっていますが、3〜4ヶ月は仕事がゼロになりましたね。

定：自分たちがやっているようなエンターテイメントの仕事に理解がないことを痛感しました。綺麗事に聞こえるかもしれないけれど僕たちは夢を売っていると思っています。音楽やお笑いも、すべてのエンターテイメントがそう。まだまだエンターテイメントに対する理解が足りない。コロナの影響でそれがはっきりとしたし、すごく悔しかったです。僕らはお客さんの声援ありき。感染症対策のため、それがないのは辛いです。必殺技を決めて3カウントをとって自分が勝っても、お客さんは拍手をするだけ。拍手もありがたいですけど、生の声があるから頑張れるんです。今はマスクが当たり前で手も繋げない、ハイタッチもできない。仕方のないことですが、すごく寂しい。そうじゃない世の中に早くなってほしい。花見ができて、キャンプができて、家族みんなで食卓を囲むことができる。極論、地球が平和になればそれでいい。一番難しいかもしれないけど。

K：そうだね。コロナの話だけでなくもっと大きな規模の話をすると、私にはブラジルと台湾の血が入っているのですが、人種の差別や偏見がなくなって、みんなが仲良く暮らすことができる未来が来れば良いと思っています。だって目に見えないウイルスで人が死んでしまう時代に、しょうもない揉め事で国同士が喧嘩してる場合じゃないでしょ。コロナが終息したら、とりあえず団体のみんなでディズニーに行きたいですね。あとは、みんなを引き連れて北から南まで巡業したいかな。私たちにしかできない、私たちらしいプロレスを全国の人に見てほしい。

定：巡業、したいですね。あと個人的には夕方6時から朝の6時まで、友達50人くらいで飲み明かしたい（笑）。

K：前によくやってたよね、24時間営業の居酒屋とかで。レスラー仲間をたくさん集めて、気づいたら朝の7時半とか（笑）。

定：なんかコロナの前の世界が懐かしく感じるな。早く大好きな友達に会いたいです。まあ、泣き言を言っていてもしょうがないですよね。今は自分にできることをやるしかない。僕はこれからこの団体を誰も追いつけないところまで持っていきたい。そして唯一無二の存在になる。ナンバーワンじゃなくてオンリーワン。

K：そうだね、オンリーワンになりたい。私たちにしかできないことを、これからも形にしていきたいです。

ジョウ アキラ／1993年11月24日生まれ。Alma Libre所属のプロレスラー兼選手代表。小学1年生からU.W.F.スネークピットジャパンでビル・ロビンソン、宮戸優光ら指導を受け、全日本少年少女レスリング選手権3位入賞。2010年11月3日（当時高校1年生）、IGFでプロレスデビューと同時にプロドラマーとして活動。毎週水曜21時FM82・4ラジオつくば【KaguyaのMoonRay Memory】でWメインパーソナリティー、バンドマンとしても活動中。

カグヤ アスカ／オールフリー文化交流ブランド『Alma Libre』リングアナウンサー兼代表。またデザインブランド《月雪》代表兼クリエイター。2014年6月11日『Luar』としてデビュー、2018年に事務所から独立、『Kaguya』と改名し活動開始。日本、台湾、ブラジルの血統を持ち、国際的な環境で生まれ育つ。《福祉専門の適応能力育成者トレーナー》《栄養医科学・心理カウンセラー》《ペットヘルスカウンセラー》など都内に限らず全国各地で講演やセミナー活動も行う。

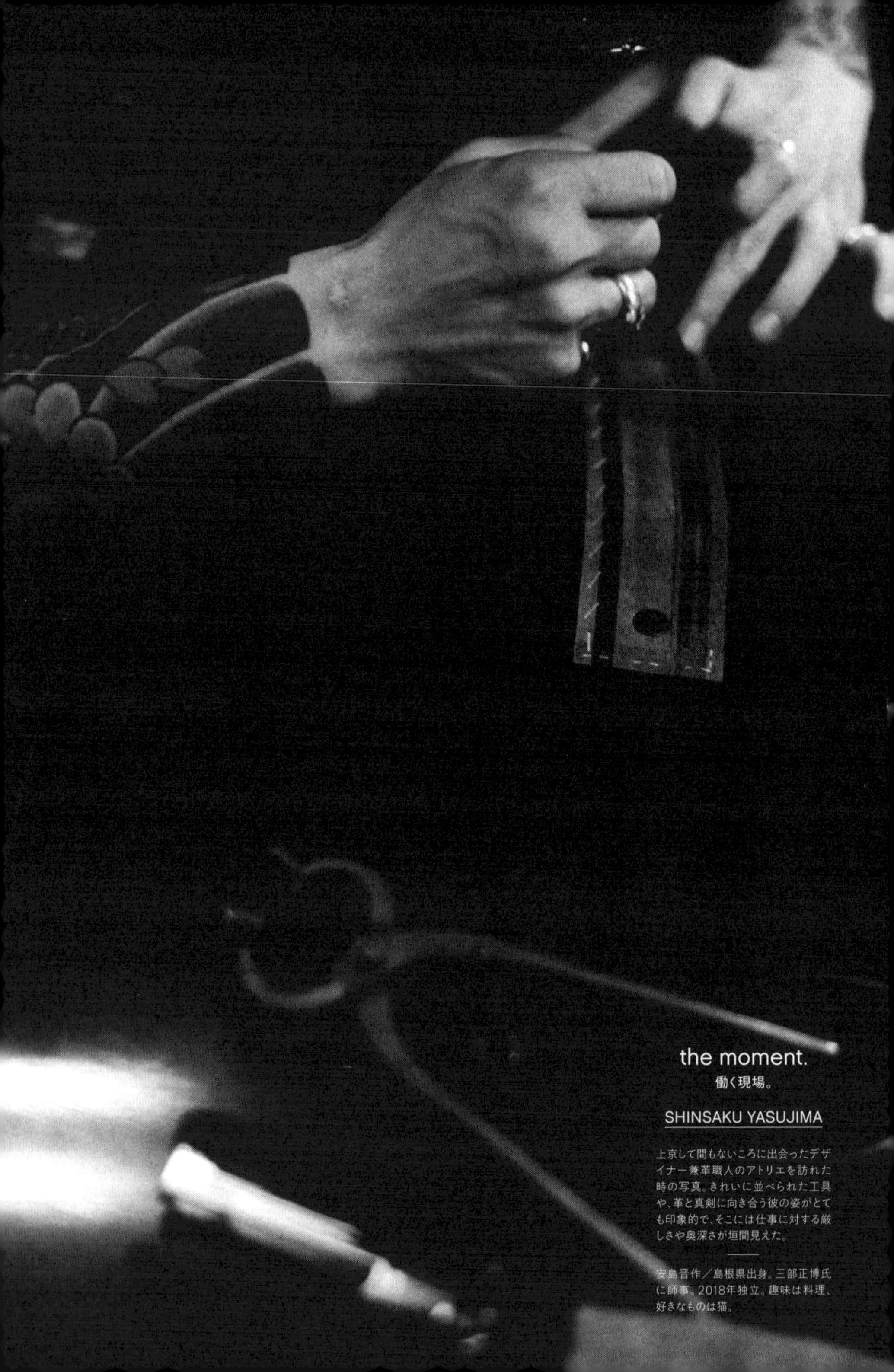

the moment.
働く現場。

SHINSAKU YASUJIMA

上京して間もないころに出会ったデザイナー兼革職人のアトリエを訪れた時の写真。きれいに並べられた工具や、革と真剣に向き合う彼の姿がとても印象的で、そこには仕事に対する厳しさや奥深さが垣間見えた。

安島晋作／島根県出身。三部正博氏に師事。2018年独立。趣味は料理、好きなものは猫。

13

お母さんじゃない。
私が私でいられる場所。

OHYA BASE 管理人
藏所千尋

東京を出て、栃木にUターンした理由

高校まで栃木、大学は埼玉、そして就職を東京、現在はまた地元にUターンして栃木県宇都宮市の大谷町にある「OHYA BASE」という施設で、管理人として勤務しています。OHYA BASEは一言で言えば「大谷町の基地」のような場所。この場所で日々紡がれるいろいろなことへの対応が、今の私の主な仕事です。コワーキングスペースやレンタルスペースの運営、OHYA UNDER GROUNDツアーや施設の窓口、そしてコーヒーを淹れることも。とにかく何でもやります。地元へ戻ったのは、私がシングルマザーになったことが大きな理由ですね。もちろんそのまま東京で働き続けるという選択肢もありました。当時働いていた会社からも「残る選択肢はないの?」とか、栃木から新幹線で通勤する方法など、あれこれ働ける可能性を模索していただいたのですが、たくさんの選択肢の中から最終的に栃木に戻ることを決意したんです。子供のことを第一に考えた結果です。東京という街が大好きな私をよく知っている地元の友人からは「地元に戻ったら退屈しちゃうよ」なんて本気で心配もされましたが(笑)。なぜ子供のためかというと、そのまま東京で暮らしたら、目の前には素敵な物がたくさんあるのにどうしても手に入らなかったり、やりたいことが叶わなかったりすることに子供が直面する機会が圧倒的に多くなるだろうなと感じたから。もちろん栃木はのどかで子育てしやすいことや、両親を頼れるといった理由や金銭的なこともありますが、シングルマザーで働く自分を想像してみたら「友達はこんな習い事をしていたり、あんなところに遊びに行ったりしているのに……」と感じさせてしまうシーンが増えてしまうかもしれないなと。子供にそん

な思いをさせたくなかった。東京は魅力的な選択肢が多くて、「諦めること」そのものがしんどくなってしまうことを自分自身がよく知っているからこその決断でした。

新しい仕事に出会うまで

今の仕事は、栃木に戻ることを決めてすぐに「何か栃木で面白いことはできないかな?」とリサーチをして見つけました。地元といっても最初は何の手がかりもないので、まずは(NPO法人)ふるさと回帰支援センターに行きました。あまり期待せずに(笑)。そこでのセミナーで宇都宮市の職員の方と直接お話をできる日があって「デザイン経験などを活かせるような面白い仕事をするにはどうしたらいいですか?」と相談してみたんです。そうしたら、職員の方がとても理解してくださる方で、もとから少し気になっていた「OHYA UNDERGROUND」という面白いプロジェクトを興しているチームがいますよ、という感じで勧めてくださったんです。お盆、お正月の帰省のタイミングで今の会社と面談を重ねていきました。「栃木に帰ったら、自分がやりがいを感じられるような仕事にはなかなか出会えないだろう」と勝手に思っていたので、「Uターンしても面白いことはある!」と希望を持てるようになりました。これまで身につけた自分のスキルも活かせそうだし、すごく興味を持って取り組めそうだったんです。離婚という大変な経験もしましたが、東京にいるうちに無事に仕事が決まって期待を胸に地元にUターンできたことはよかったです。運がよかったこともありますが、何よりも人のご縁でつないでいただいた感じです。大谷町が少しずつ盛り上がってきたのはここ数年のことなので、まだ新参者の私が入り込む余白はあるなと感じました。まだまだ未完成だからこそあれこれ自由にチャレンジできる隙がたくさんある。そんなことも大谷町で働く魅力のひとつでした。

地元のリズムを自然に受け入れる

地元に暮らし始めてまず感じたこと。それは、目的地を決めて歩かないと偶然何かに出会うことはほとんどないということでしたね。それは東京の生活との大きな違いでした。地元では完全に車中心の生活で、何気なく立ち寄れる本屋やカフェというような、今まで普通にあったものがほとんどないんです。決定的な違いではないですけど、自分が能動的にならないと本当に退屈してしまうことを実感しました。ちなみにずっと免許は持っていましたが、Uターンを機にペーパードライバー講習を受けました。車の運転は自宅と職場の往復なら問題ありませんが、他の場所に行くときはまだまだ緊張します。すっかり歩かなくなったので、体重が5キロも増えました(笑)。

仕事のリズムは、東京にいた頃とそんなに変わらないかもしれないです。大まかに言えば「観光業」なので土日出勤などもあり、もしかしたら東京にいたときよりも働いているかもしれません。Uターンなのでゆったりと働いていると思われがちですが、実際はその逆ですね。それでも自分が押し潰されてしまうほどのストレスは感じたことはまだありません。特に春先は情緒が不安定でついつい「キャー」となりやすい感情的な私ですが、上司が私を上手にコントロールして使ってくれるので助かっています。本当に恵まれた環境で働かせていただいていると思います。

サポート役の私がメインキャラに

高校まで栃木にいましたが、地元って「本当に退屈で何もない場所」というイメージだったんです。逆に「東京はキラキラしている」といつも憧れていました(笑)。大都市の一番の魅力は美術館があったりいろいろなライブが行われたり、文化的なモノやコトがとにかく身近にあること。でも「地元は退屈」と思い込んでいた若い頃と比べると、ここで生活するようになってずいぶん印象が変わりました。チャンスや運に恵まれたということもありますが、自分が地元でここまで楽しく働けるとは戻る前には想像もできませんでした。

私は上京したばかりの若い頃から、いわゆる「一流」と呼ばれる人たちとたくさん出会う機会があったんです。初めての勤め先は印刷会社の営業でしたが、取引先にとてもユニークな人や会社が多かった。そこでの出会いは私にとってとても大きかったですね。そのあとはデザイン事務所で働いたのですが、自分の隣で次々と作品を仕上げていくデザイナーたちの仕事ぶりを見ながら「これは私には作れない」って思ったし、そもそも一日中Ｍａｃと向き合うというスタイルが性に合わない(笑)。そうやってデザイン、アートやカルチャーに造詣が深くて面白い人を常に目の当たりにして、その技術や情熱に触れて、本当に面を食らいました。そういう環境にいるうちに「こんな素敵なものを作っている人たちがいるよ!」とまわりの人たちに「伝える」仕事の方が私には向いていることに気づきました。根がオタク気質なので「あの面白い人、推したい!」という感覚ですね(笑)。自分は何かを直接クリエイトするタイプではないので、そのぶんそれをできる人たちへのリスペクトがあります。ただそれは私が「面白い」と思えることが重要で、「面白いことをやっているな」とか「格好いいな」と自分が思えないものには心が動かされないんです。そう考えると、私のまわりにはいつも面白い人がたくさんいて、本当に恵まれているなと思います。

そんな感じで東京で働いていたときはサポート役的な立ち位置でいることが多かった私ですが、今の仕事に就くことになって、自分がメインキャラを張るというか、旗振りをしないとならない立場になりました。当然のことながら、心境にも変化がありました。とにかく自分がいつでも「アクティブに、能動的にならなければ！」というように自然に思えるようになったんです。もともとはサボりたい、甘えたいタイプなのですがそうとも言っていられない（笑）。あれこれひとりで現場を任せられることになって、そういう環境に投げ込まれたのがよかったのかもしれませんね。

特技に特技を重ねてスキルアップ

転職って、自分が持っているスキルや経験を使ってまた新しい技術を習得していくことだと思っています。そのことを私はとてもプラスに捉えています。日本は転職回数が多いと評価されにくい土壌がありますが、海外では「あなたはあれもこれもできるんですね」と評価につながることが多いですから。とはいえ、基本的に今まで勤めていた職場はどこも居心地が良かったので、あまり転職をしようと考えたことはなかったですね。自分の場合体調を崩して退職することが多くて、できることなら働き続けたいと思えるところばかりでした。だからこれまでの転職は自分の意思ではないことがほとんどでしたが、転職ごとにいつも自分がスキルアップできていると実感できているし、新しい職場に行くたび「どんどん得意技を増やしにいこう」という前向きなマインドで次に進んできました。だから転職回数こそ多い方ですが、常に同じ矢印の方向に進んでいると自分では思っています。ちなみに私が転職するときにもっとも大切にしているポイントは、そこで働いている「人」。自分と平熱が近そうかつ、その人が醸し出しているムードに共感できるかどうかを何より大切にしています（笑）。

コロナ禍がもたらした変化

大谷町は基本的に観光地ということもあり、コロナの影響で訪れるお客さまの数は目に見えて減ってしまいました。当然街のみんなのムードも暗くなった時期もあったし、正直いろんな意味でテンションは下がりました。でも逆にそのことで、観光地だからといって、観光目的のお客さまだけを当てにしているのはダメだと考えるようになりました。年に一度、もしかしたら一生に一度しか訪れないお客さまだけをただ待ち続けているのではなく、もっといろいろな人たちに愛される場所にしなければ、と。人が来ない理由を閑散期やコロナのせいだけにしていたら何も始まらないですよね。地元、特に近所の人たちの出入りももっともっと増やしていきたいし、魅力的なコンテンツがある観光地なのだからと他力本願な考え方で何もせずにいたら、そのうちどんどん街の価値が失われていくと思いました。でも一方ではコロナ禍を経て、地方に住む人たちが改めて地元の魅力や面白さに気づいたり、いい部分を磨いたりする動きが活発になった気がしてます。そういった前向きな動きの中に身を置いていると、今後はさらに「地方」にチャンスが到来するかもしれないと、密かに期待しています。

自分が自分でいられる場所

私にとって仕事とは「お母さんじゃない自分を表現する場」です。もちろん生活のためにお金を稼ぐ手段でもありますが、それだけじゃない。自分が心から自分らしくいられる場所、それが今の私の仕事場なんです。だから今は毎日がとても充実しています。ただ、これまでもずっとそうだったのですが、私は仕事が楽しいとついつい入れ込んでしまう性格です。そういう意味で家族とどう折り合いをつけるかが課題です。今のところ子供はOHYA BASEで働く私のことを好いてくれているようなので、とにかく子供に嫌われないように上手に働き続けたいです(笑)。私にとって、仕事は本当に大切な人生の一部だから。

1981年、栃木県宇都宮市生まれ。採掘場跡地を活用した地底湖クルージングツアーなどを行うOHYA UNDERGROUNDの拠点施設「OHYA BASE」管理人。Uターン以前は、印刷営業、グラフィックデザイン事務所、ミュージアムショップなどに勤務しクリエイティブメンバーのサポート役を担う。現在は「大谷でできることを増やす場所」を目指し日々奮闘中。

14

自分がやりたいことをやるために、林業を生業にする。

林業

中村 純

環境問題を意識し始めた応援団時代

現在36歳なのですが、もともとは林業ではなく前職は設計不動産をしていました。今は朝の9時頃にはその日の現場の山に行き、チェンソーで木を伐採したりユンボに乗って運んだりという作業をする。自分の山でひとりで作業をする場合は、たいてい夕方16時頃には仕事を切り上げて帰って来ます。

とはいえ、いまだに僕自身も「林業という仕事はいったい何を指しているのだろう?」と自問自答しながら日々いろいろな作業をしています。

もともと高校時代から環境について興味がありました。その頃は昭和の漫画に出てくるような男子校の応援団長をしていて、いつも長ランを着て楽しく学生生活を送っていたのですが、環境について意識するようになったのは9・11のテロがきっかけでしたね。「今はこうして毎日楽しく過ごせているけど、いずれ自分が子育てするようになったらもしかしたら今の環境のままでは難しいんじゃないか?」とか、とにかく世の中の動向についてあれこれ深く考えるようになって、自然と環境にも目が向いていったんです。もともとポジティブな性格だったのですが、応援団というストロングスタイルな世界に身を置いていた反動もあり、逆に何でも難しく考えるようになって中二病のように「人間は汚いんだ」とか考えるようになりました。学校の屋上で副団長たちに「地球や環境のことを考えると、人間なんていらないんじゃないか?」という過激な話をしていたんです。すると副団長が屋上の柵から一歩外に出て、「俺を押してみろよ」と。「友達だからできない」と断ると、「お前の考えは浅い。目の前の俺も押せないくせに、人類はいらないとか簡単に言うな」と言われて。確かにその通りだなと納得しましたけど(笑)。それでも何か環境に関わる持続可能なことを始めようと考えた僕は、「植物による環境浄化」を学ぶために東京農業大学に入学しました。とはいえ大学時代「一生懸命に環境問題について学んだのか?」と改めて言われると自信がないですが(笑)。とにかく何をテーマに論文を書こうか迷っていたとき「林業というのはそもそもビジネスとして成り立たない」という話を耳にしたんです。そもそも自然を相手に働く人々の生計が成り立っていないのに、「植物による環境浄化」を叫んでいる場合ではないと感じて、まずは経営のことを考えて林業ビジネスを成り立たせることから始めようと、経営管理研究室で経営を学ぶことにしました。

地元と林業の魅力に気付いて

あるとき地元の栃木市に帰って居酒屋で飲んでいたら、隣に座ったおじさんがとても面白い人で意気投合。よくよく話を聞いてみると、僕の高校生時代の通学路にあった商店のおじさんだったんです。特に接点はなかったのですが、自分が知らないだけで地元には面白い人がたくさんいるんだなと。それで地元のことをもっと知りたいと、大学の論文のために地元に帰って地域の祭りの手伝いなどをしました。そうやって地元と関わるのは面白かったんですけど、ある日「ちょっと手伝いに出かけてくるわ」と言った僕に対して兄が「お前は一体何をしているの？ 就職は？ 何がやりたいの？」と問い詰められました。僕はとっさに「人を笑顔にする仕事ができればいいと思っている」と答えたら、「まずは一番身近な人から笑顔にしろよ。お母さんが泣いてるぞ」と言われてしまって(笑)。そこで、地元にもいろいろなつながりができていたところなので、「この地元で働きたい、それもせっかくなら木にまつわる仕事がしたい」と思うようになったんです。ところが実際には、地元に木に関わる仕事はほとんどありませんでした。地元の山の持ち主に話を聞いてみると、誰もが口を揃えて「山はダメだよ。食べていけない」と嘆いている。中にはただで山を手放してしまっている人もいるほどでした。林業市場のデータを見てみると、50〜60年前に日本の山に拡大造林の木をどんどん植えて、資産としては森や林が円熟している時期のはずだったのですが、実際には誰も山に行かないような状態だったんです。なぜならお金にならないから。昔は木を1本切れば6人分の日当になると言われていたのですが、現在は10本切ってやっとひとり分の日当くらいだと言われていますね。でも僕としては今が適正価格だと思っています。昔は戦争などの影響ではげ山が多かったので、木材の価格が高騰していたんですね。

紆余曲折を経て林業業界に

そこで大学を卒業した僕は、仕方なく大手のハウスメーカーで働くことにしました。木にまつわる仕事や家づくりに関わりたい人が多く、僕も当然住宅部門だろうと思って入社したんです。けど配属されたのは営業部。それもコンサル営業といって、地主さんたちにアパートやマンションを建てていただくためのテレアポをする部署だったんですね。僕としては「自分が人にされたら嫌なこと」をしないといけなくてちょっとうまく馴染めなかった。なかなかブラックな会社だったこともあり、2年と少し勤めて退職する頃には同期は3人になっていましたね。もちろんテレアポの仕事を通して学んだこともありました。人は興味のある物事に関しては熱心に学ぶ、ということ。でも、その物事の魅力を「いいものだよ」ときちんと伝えられる人は少ないということです。そこで、次の会社は「自分がいいなと思える物を売る仕事に就きたい」と考えました。例えば栃木に点在してる空き家を改築する仕事とかですね。そんなことを考えながら久しぶりに地元に戻ってきたら、なんだか街の様子も少し変わっていて、ワクワクしました。さっそく自分がしたいことを資料にまとめて、知り合いを訪ねて「こういうことがしたいんだけど何かできることあるかな?」とプレゼンして回ったりしていたんです。そんな中で偶然に、面白い試みをしている不動産屋の方を紹介していただいた。早速、履歴書を送って「図面も書けますが、僕は不動産の仕事をしたいです」と話したのが、2011年、27歳の頃ですね。その会社では、ひとクセある物件を探して紹介する「不動産ライター」として記事を書いていました。あとは、みんなで作ったシェアハウスの管理をしたり、もちろん不動産の仲介もしていました。興味深いのが、不動産業界で働いていると人生に迷っているお客さまがいらしゃったりすること。そんな感じでとても人間くさい仕事なので、前職よりも「この仕事、好きだな」と思えたんです。だからこの会社には長居しました。でもやっぱりいつもどこかに「木に関わる仕事がしたい」という気持ちがずっとありました。社長が社員に「丸1日仕事をしなくていいから、こんなことをしたら面白いかも、という新しい仕事を自由に考えてみて」とお題を出すことがあったんです。そのときも僕は林業の話をしました。そこで「もうちょっと調査して、プレゼンして」と言われて、いろんな人に話を聞きに行ったんです。でもやっぱり「辞めといたほうがいい」ばかり。ただ「とにかく難しい」みたいな主観的な話が多くて、結局調査にならない(笑)。数字や仮説があれば理解できるのですが。それで「結局、わかんなかったです」で終わって(笑)。でもやっぱり諦めきれずに、3、4ヶ月休職して実際に林業の現場に入ろうと思ったんです。

自分の苦労話ではなく、若手のために「数字のデータ」を残したい

「地元で働くのは難しい」と言われた林業に飛び込んでまず考えたのは、自分が最低限暮らしていくためにはどのくらいお金がかかるのか、ということでした。僕ひとりならだいたい月に15万円くらい稼げれば生きていける、それが12ヶ月分で年間180万円。仮に山での仕事だけで稼ぐとしたら100日くらい働けば180万円くらいにはなる予想だったので、1年の残りの265日を林業ではなくコーヒー店だったり、自分のやりたいことに充てられるかもしれないと考えました。実際僕のまわりにもそんな生活を模索している人は多いのですが、実際の稼ぎや仕事のバランスを考えると諦めていしまう人がほとんどなんです。でも農業と違って林業は1日作業が遅れてもどうなるわけでもないことが多いし、好きなときに山に行って仕事ができるんです。

林業はそもそも人手不足なんです。実際働いてみると理解できますが、今の就業形態には誰も魅力を感じない。高齢化が進んでいるし、そもそもやってみたいと思ってもよ

そ者に対して閉鎖的なところが多い。仕事そのものも研修もほとんどなく「見て覚えろ」という感じだし、「この世界で働くならすべてを捨てて来い」という昔気質の雰囲気です。僕自身イベントなどを開催していて感じているのは、どんどん人が来なくなるということ。「このイベントは今回で10回目！」などと言うイベントでさえ、ボランティアの方がいないと成り立たない感じなんです。そういう状況をみていると、やっぱり「お金」というのは大事なんだなと思います。林業の世界って昔から日当制なんですよ。自然相手の仕事だから仕方ないですが、雨の日は出勤できないこともあって、そうなるとその日の稼ぎはない。そういう稼ぎが不安定な部分も、若者が魅力を感じない理由なのかもしれません。そんな状況があって、行政としても会社が正社員として通年雇用をしたら年間100万円の人件費を補助する制度を作ったりして努力もしているみたいです。

それに、そもそも林業を体験できる場所が本当に少なくなってしまいました。例えば3ヶ月くらい現場で体験してみたいと考えても、「うちは正社員で通年採用だけだから厳しい」となってしまったり。当然僕もなかなか林業業界に入り込む隙間を見つけることができなくて困っていたのですが、商工会の後継者バンクに登録して興味があることの欄に「不動産と林業」と記入したら「後継者を探している林業の会社がある」という話になり、なんと僕がその会社を買うという流れになったことがありました。価格も100〜200万円程度だったので「従業員と帳簿が手に入るなら」と買おうと決意したのですが、直前になって帳簿を見せてもらったらこれが真っ赤だった(笑)。さすがにこれはリスキー過ぎるなと思って丁寧にお断りしました。

でも僕にはすでに気持ちに火が付いていたので「僕が本当にしたいこと、できることは何か」と考えました。それで、2020年の年末に、宇都宮で山を売りたいという方と出会って自分の山を購入することにしました。「自分で山に入って木を切って何立米出せた」「この機械を使ったら何立米出せた」「こっちの市場だったらこれくらいで売れます」とか実際のデータの積み重ねを集めて、それを一般公開しようと考えたからです。人に勧められて林業関係の本をいろいろ読んでみたのですが、ほとんどがびっくりするほど数字のことには触れていない。たいていが、「いかにしてこの人は山を守ったのだろうか？」というような内容の本ばかり。確かに仕事はキツいですし、大木が倒れてきたら死の危険だってあるので、どうしてもそういう内容になりがちなのも理解できますが、実際にはあまり役に立たない。だから足りていない「数字」の部分を公開したいんです。林業の世界そのものを変えることはできないかもしれないけれど、単純に林業に興味がある人や、林業業界に入りたいけど入り口が見つからない人などに向けて、WEBなどでオープンデータとして見られるようにできたらいいなと思っています。現場作業に出てしまうと、どうしても事務作業は難しくなってしまうのですが、それでも今は少しずつでもいいからデータを更新をしないといけない。今は目標を、山を使って地域に「林業のステップ」を作ることと設定しています。繰り返しになりますが、林業は「やりたいことがある人が自分らしく暮らすためのツール」になるはずなんです。林業だけではなく、林業をやりながら、好きなことをするという豊かな暮らしを実現できる可能性を持っているんですよ。

学生時代から思い描いていたことを現実に

正直にいえば、僕はもともと「仕事」に対して前向きではありませんでした（笑）。なるべくラクがしたいと思いながら仕事をしていても、やっぱり働くことが楽しいときがたくさんあったんです。なにしろ今は、自分の欲求を満たすために、15年くらい悶々と考えてきたことを少しずつ紐解いている期間ですから、とても楽しいですね。大学生の僕は「人のためになる仕事がしたい」というようなことを言っていたのですが、やっぱり結局は「自分のため」に働いているんでしょうね。実際に仕事にするのは難しかったけれど、ようやく少しずつ「環境と林業をつなげる仕事」を実現できつつあるんじゃないかなと思っています。

１９８４年、栃木県栃木市生まれ。建築や不動産ライターなどを経て、２０２０年に山を買い、林業家になる。入り方も、手入れの仕方もわからない森林の世界を自分なりに開拓し、辿った道のりをＷＥＢで公開する「森林経営研究室」主宰。

15

30歳で初めての就職。家族を守るために働く。

介護士

袴田哲文

長年のフリーター生活を経て、介護士に

東京で介護士として働いています。介護士になろうと思ったのは、30歳で今のパートナーと結婚することになったからですね。それまではライブハウスの受付とコンビニのアルバイトを掛け持ちしていて、特に意欲的にやりたいことはありませんでした。なぜかまわりに介護の仕事をしている知り合いが多かったんですよ。自分の父親も奥さんも介護士で、友達にも何人かいますし。生活のリズムを崩さずに自分のペースで働けそうだと思い、介護士になることを決意しました。夜勤も選択できるし、夜勤の翌日は半休を取得できたり融通が利くんですよ。30歳で就職してから今まで介護士として働いてきて、業種も仕事内容もほぼ変わらないのですが、現在は施設勤務を経て利用者さんの自宅を回る訪問介護をしています。今年で37歳なので、30歳から働いているから今年7年目になりますね。まさか自分がこんなに長く仕事を続けられるとは思っていませんでした(笑)。20代の頃は髪がお尻の下まであって、平気でバイト先に便所サンダルで行ってましたから。まあ誰にも迷惑をかけていなかったですけどね。いつの間にか友達と遊んでても仕事の話が中心ですし、僕でもそのうち身体の不調の話をしだすのかな? と思っています(笑)。

家族を養うことを第一に考えている

僕の1日の始まりは、だいたい朝の7時に起きて、子供を保育園に送り出してから出社しています。仕事の定時は19時ですが、遅くなってしまう日もあれば早く帰れるときもあってまちまちです。また、僕が働いているのは施設勤務ではなく、訪問介護士として1日5~6軒の利用者さんの家を回っています。多いときだと10軒くらい回っていますね。1軒につき、だいたい30分から1時間ほど利用者さんの家に滞在していて、短いと10分程度の場合もあります。10分のときは薬を飲ませてあげるお手伝いのみなどのケースですね。

僕がこの業界に飛び込んだときは、何も資格を持っていませんでした。初めて勤めた施設が資格を取得するところまで面倒を見てくれて、働きながら介護福祉士の資格を取りました。取るまでに何だかんだ3年くらいかかりましたね。介護業界は全体的にかなり人手が足りていない状態なので、資格を持っていなくても働かせてくれるところが多いし、自分のやる気次第では勉強をしながらステップアップできる業界ではありますね。

基本的に力が必要な仕事がメインですし、肉体労働ですからね。3Kとも言われている業界ですし、確かに泥臭い仕事ではあるけど、やる気さえあれば受け入れてくれる会

社が多いと思います。給料とかにこだわらなければ歓迎してくれるので。人手が本当に足りていないし、多くの人を受け入れてくれる仕事ってあまりないでしょう？

介護士としてのステップアップは、まずは現場を経験してから管理職に就くという流れがあります。でも自分はまだ現場で働き続けたいと思っていますね。まだまだ仕事数をこなして、自分のやれることの幅を広げてから改めてステップアップのことは考えたいかな。もちろん仕事は大事ですが、今は自分の時間と家族の時間も大切にしたいと思っているんですよ。頑張りすぎて仕事が苦痛になったりしたら、元も子もありません。やっぱりバランスが大事ですよ。休みも減ってしまいますしね。そういう意味ではまだ覚悟ができていないのかもしれないですね。今はあくまでも家族を養うため、自分のために働いています。とはいえ、体力仕事ですから現場での仕事はいつか体力的に限界が来るんだろうなとも思っています。そうなる前には管理職になれたらいいなと思いますね。

この仕事をしていて印象的だったのはいつも家でロックを聴いている利用者の方と音楽の話を通じて仲良くなれたことですかね。僕もずっと音楽が好きで話しかけたことがきっかけでよく話すようになったんです。今日もその方の家に行ったのですが、やっぱりピンク・フロイドのＤＶＤをずっと観ていましたよ。もともとご本人も若い頃に音楽をやっていたみたいで、いつもうれしそうにバンドを組んでいたときの話をしてくれるんです。僕も以前はライブハウスで働いていたり、レコード収集が趣味なので話は盛り上がります。そういう共通項があると一気に距離が縮まりますよね。

「気の利かせどころ」がわかった瞬間の喜び

正直なところ自分が介護士に向いているのかどうか、今でもよくわかっていません。自分は気が利かないところがあるとは思っています。やっぱりそれってこの仕事ではよくないことなんですよ。いかに細かい箇所に気づいて、どのように対処できるかが重要ですからね。逆に介護士として向いている要素は人当たりがいいところでしょうか。自分で言うのもなんだけど、自分は優しいと思っていて（笑）。それは介護士にとって大切なことです。仕事だから当たり前のことなんだけど、この間も利用者さんに「もつ煮込みを作ってほしい」と頼まれて、めちゃくちゃインターネットで作り方を調べて、一生懸命作りましたよ。その利用者の方はちょっと気難しいところもあって、素直に喜んでくれなかったですけどね（笑）。相手が求めていることを普通にこなすことが仕事で、プラスアルファをよく観察して発見することを意識しています。ここをこうすれば喜んでくれるだろうなとか、ここをもう少し工夫すれば良くなるかな？ とか、その利用者さんならではのポイントを発見できたときは素で触れ合えた感じがしますよね。仕事として当たり前のことをして、何か工夫をして喜んでくれたら自分も嬉しいです。さっきも言いましたが、自分は本当に気が利かないんです（笑）。なので「気の利かせどころ」がわかった瞬間のうれしさはひとしおです。いいこと言ってるようですが、触れ合うのが仕事なので、利用者が喜んでくれたときに自分もうれしいなんて当たり前のことなんですけどね（笑）。

30歳になって結婚していなかったら、介護業界云々の前に就職すらしていなかったかもしれません。若かった頃は安定していなくてもアルバイトで生活ができればいいや、という考えがありました。常に不安定だったので、ある意味安定した生活とも言えましたね（笑）。でもバイト量も尋常じゃなくて、ライブハウスで朝方まで働いて午前中からコンビニでアルバイトをするというのを週6くらいでやっていました。今じゃもう無理ですね。勤務時間的にはアルバイトよりも少ないのに、毎月一定のお金がもらえて時間にもゆとりができるということがわかったのが就職して一番大きな収穫かもしれません。しかも好きなレコードや本に回せるお金が増えた。若いときは就職しないで自由に生きることが重要だと思っていたし、その部分にこだわっていたんですよ。ある意味、普通に就職した人より社会人になる、ならないに囚われていましたね。とにかくビールが飲めて音楽が聴ければ何でもよかったです。

30歳のとき初めての就活をしたときも、転職活動のときも悩みを誰かに相談することはありませんでしたね。とにかく面接をして受かるしかないので、誰かに相談してどうなる話でもありませんから。でも実家に電話したら仕事について話すし、友達にも自然な流れで「転職しようと思っててさ」と話すことはありましたよ。強いて言うならそれが相談になるのかな。あとは父親が介護士だった頃もあって、色々とアドバイスをくれましたね。

子供が生まれ、転職して、コロナ禍を経験した怒涛の3年

今の会社で働き出したのは、2020年4月頃の第一回目の緊急事態宣言中でした。面接はZoomでのリモート面接で実施しました。施設で働く中で訪問介護をやってみたいと思ったことが転職理由のひとつです。施設だと同じところに毎日通わないといけないし、制服があるのが性に合わなくて嫌になってしまったんですよね。とにかくライフスタイルを変えたかった。今の会社は制服もなく服装も自由だし、いつも同じ場所に勤務するわけでもなく自転車移動なので気分転換もできるし、ある程度マイペースに仕事ができます。それって僕にとってとても重要なことなんですよ。基本的にひとりでの行動になりますし、致命的な理由なのですが団体行動がかなり苦手なんですよね。36年生

きてきて、団体行動が向いてないことは何度も痛感してきました。

正直、僕の仕事の面ではコロナで変わったことはあまりないんですよね。管理職のスタッフはほとんどテレワークになりましたが、現場に行くスタッフはマスク、フェイスシールド、アルコール消毒でコロナ対策をしますが、業務内容自体はほぼ変わりません。そもそもがリモートに切り替えできる仕事ではありませんし、人と密に触れ合うことを避けられない仕事ですからね。相手は高齢者の方が多いので、かなり気を使いますよ。当然、マスク、フェイスシールド、アルコール消毒はマストです。あと自分と接している間は、利用者さんにも必ずマスクだけはつけてもらっていますね。

あと僕には3歳になる子供がいて、ここ数年は怒涛でトピックが押し寄せています(笑)。日常生活からマスクを手放せなくなった、手洗いは頻繁に行う、などの変化はありますが、コロナで難しくなったことがあまり思い浮かばないんですよね。そもそも子供が小さいので出かける機会自体が少なくなったし、家族との生活で変わったことはほとんどないかもしれません。まあ子供が大きくなったのに、あまり出かけることができないのは可哀想だとは思いますけど。保育園が休みになってしまった時期は少し大変でしたけど、今は感染対策をしっかりとやっていますし。

僕にとっては「遊び」がとても大切なので、友達と気軽に遊べなくなってしまったことが大きな変化かもしれないです。安い居酒屋でマスクをせずに大爆笑して、チキン南蛮でもつまみながらビールを飲みたいですよね。

音楽と息子と過ごすひとときを糧に働く

今の楽しみはお酒を飲みながらレコードを聴いているときと、家族で過ごしているときですかね。仕事が終わって家族が眠りについたら、起こさないようにヘッドホンで音楽を聴きながらビールを飲んでいます。たまらないひとときですよ。

わざわざリフレッシュしようと思ってやることはないですけど、子供と過ごすと自然とリフレッシュできるような気がしますね。子供が生まれたときに思ったのは「もうひとり自分が増えた」ということ。僕は友達が少ないので、新しい友達ができてうれしいなとも思いました。決して生活もラクじゃないから、ある意味子供が生まれたことはリスクだとも言えるけど、生きていく上でリスクを背負うことは悪いことではないと思っています。だって今、楽しいですからね。

1984年生まれ。大学進学のため2004年に上京し、大学卒業後はアルバイトを転々とする生活を送る。結婚を機に介護施設に就職し、現在は都内で訪問介護士として働く一児の父。

OUR ASSOCIATES

16

やりたいことが仕事に
つながって、これからは
社会に貢献する作品を。

映像ディレクター

Foolish

鍼灸師から映像の世界へ

アーティストのミュージックビデオやブランドムービー、WEB広告の映像ディレクター、カメラマンをしています。他にはラジオ配信、楽曲制作、映像制作、アパレル制作、空間プロデュースなどを総合的に行うライフスタイルレーベル「Chilly Source」に所属しています。最近だと、Columbiaと北海道上川町によるコラボ映像や、ホストクラブのプロモーションビデオ、結婚式のムービーなども撮影していて、映像のジャンルに関していうとあまり偏りがなく、依頼内容を見て自分ができるものは基本的にすべてお引き受けするようにしています。

もともと専門学校を卒業してから実家で鍼灸師として働いていたのですが、昔から「独立してお金持ちになりたい」という漠然とした夢があったんです。それで鍼灸師をしながら、自分で音楽イベントを企画したり、あとは当時イケダハヤトさんとかはあちゅうさんのようなブロガー全盛期だったので、自分もブログを書いてそこにGoogleアドセンスとかAmazonアソシエイトなどの広告を貼ったりして小遣い稼ぎみたいなことをしていました。特に音楽が好きだったので、ブログでも音楽の記事を書いていて、好きなミュージックビデオなんかを紹介してたんですけど、だんだん書くネタもなくなってきた。それで今度はミュージックビデオを見る側から、作る側に回ってみたいって思うようになったんです。Suchmosの「MINT」という曲のミュージックビデオを見たときに、「同世代の仲間と夢に向かって頑張ろうぜ！」みたいな描写がすごく良かったんです。それを田舎で見てたからより強く感じたのかもしれません。それがすべてのきっかけというわけではないですけど、せっかくなら東京に行って映像の仕事をしてみたいと思いました。それでローンを組んで一眼レフカメラを購入したのが始まりです。

3年勤めた鍼灸師を辞めて25歳の時に半ば「ノリ」で上京してきたんですが、当然社会のことなんて何もわからなくて、とにかく食いつながなきゃっていうのもあったので、とりあえず最初の2年間はWEBメディアの会社でライターとして働いてました。映像自体は地元にいるときからYouTubeなんかで情報を得ながら独学で勉強していましたが、上京してからは、他の映像ディレクターやビデオグラファーの現場の手伝いをさせていただきながらスキルを磨いていました。そんな感じで、会社員として働きながら少しずつ準備をして、2018年に映像ディレクターとして独立しました。

実は上京して2～3年で独立することは最初から決めていたんです。当時の映像業界は独学で映像を学んだ若い世代のビデオグラファーが次々と活躍し始めていた時期で、自分もそれなりの撮影経験を積んだし、仕事をいただくための工夫さえすれば食べていけるかもしれないと感じていました。もちろん不安もありましたけど、今しかないって思いましたね。

フリーランスとしての苦労ばなし

当たり前ですけど、独立したての頃は仕事もほとんどなくて、来月食べていけるかわからないような状態がしばらく続いてました。会社員と違って「朝9時に出社」みたいなルーティンがないし、いつもどこかで精神的に不安定になるタイミングがやってきて、ある時期は病院で薬を処方しないといけないくらい不安症に悩まされてました。逆に「とにかく食べていかなきゃ」って思いが強かったので、せっかくいただいたのだからと仕事を詰めすぎて自分の時間や他の案件に影響が出てしまったり、機材費の立て替えというような出ていくお金の工面でもとても苦労しました。今でこそ仕事もずいぶん安定してきたけれど、フリーランスならではの厳しさというのを痛感しましたね。

あとは、フリーランスというのは仕事の時間と休みの時間の切り替えがすごく難しい。家が職場でもあったので、撮影以外は基本的に家で作業していることもあって、仕事が増えれば結局ずっと仕事してしまうんです。だから最近は「何もしない日」を意図的に作るようにしていて、休めるときにしっかり休むようにしています。休日はもっぱらYouTubeを見たり、その辺を散歩したり。あとは、高校時代に野球をしていたこともあって、近くの公園で壁当てしています。実は壁当てってめちゃめちゃ無心になれるんです。全部忘れて童心に戻れるというか。だから何も考えずにリフレッシュしたいときにはとりあえず壁当てしてますね。

発注ミスで、自宅にチキン南蛮弁当が35個

「好き」がきっかけで始めたこの仕事ですが、もちろん現場は楽しいことばかりではなく、どちらかといえば大変なことの方が多いくらいです。印象的なエピソードがあって、ある案件で僕が弁当の手配をしたんですけど、発注日を間違えて撮影前日に弁当が35個届いたときは呆然としましたね。チキン南蛮弁当でした(笑)。それでも制作の過程で、自分のスキルや映像のクオリティが上がっていることを実感できたときはやっぱりとてもうれしいですね。作品をSNSなんかで発信して、良い反応をいただけるとこの仕事をしていてよかったなと改めて感じます。それと僕らの仕事は、案件の内容はもちろん、関わるスタッフや現場の雰囲気も毎回全然違うので、一回一回の仕事がとても印象的で、関わるたびにいつも新しい発見があるのはフリーランスの映像ディレクターならではの楽しさかもしれませんね。

何より〝オフライン〟でのコミュニティが大切

コロナが流行し始めた頃は、この業界全体がそうだったと思いますがやっぱり仕事が減りました。しばらくはZOOMを使った撮影をしてみたり、限られた条件の中で自分ができることを探していましたね。そうした中で強く感じたのは、僕らの仕事は何よりも、〝オフライン〟が大事だということです。というのも、僕の場合イベントなどでつながった方の紹介だったり、知り合いの知り合いからの紹介など、人と人とのアナログのつながりから仕事の話をいただくことがほとんどなんですね。コロナ禍で誰かとオフラインで会う場も減ってしまったので、最近は新規の仕事が取りづらいなっていうのを感じていました。自分が所属しているChilly Sourceのイベントもかなりなくなりましたし。今まではイベントをきっかけにコミュニティを広げて、それが後々の仕事につながったりしていたのですが、仕事をいただくスタンスそのものが変わりました。僕の場合は自分からSNSなどでモデルに声を掛けて作品撮りをするようにしていて、それをまたSNSで発信して、それを見た人からお仕事をいただけるように積極的に行動するようになりましたね。

それとコロナ禍を体験してみて感じたのは、良くも悪くも日本人というのは他人のことに干渉し過ぎかもしれないなということ。人と会う機会が減って、飲みにも行けなくて、確かにちょっぴり窮屈な世の中になっているとは思いますが、そうしたモヤモヤした気分をSNSで発散するのは違うんじゃないかなって思います。こんなときだからこそできる限りポジティブな言葉を発信して、少しでも思いやりの感じられる社会にしたいですよね。だからこそオンラインだけじゃなくて、〝オフライン〟でのコミュニティを大切にしたいと強く思うんです。

悩む前にとにかくやってみる、それから考える

仕事の話に戻りますが、今はコロナの影響もあって、例えば転職を考えても思い切って行動しづらいタイミングですよね。だから無責任なことは言えないですが、やりたいことがあってあれこれ悩むくらいなら、とりあえず何かしら「今できること」をやってみることがとても大事です！ いきなり転職することだけが正解じゃなくて、そのための勉強や準備を始めるだけでも十分な「行動」だと思います。僕自身、鍼灸師を辞めて今の道に進もうと思ったときは、とにかくできることをなんでもやってみよう、という気持ちでいました。もちろん自分なりに計画を立てて、映像の勉強をしたり未来の準備をしていました。

それと、「どの選択が一番後悔しないか」を考えること。僕の場合、鍼灸師を辞めて上京するか、地元に残るかってい

う選択でしたが、結果的に上京して正解だった。今だから正直に話ができますが、福岡の専門学校を卒業して国家資格も取得できたので、当時は鍼灸師という仕事を全うしていましたけど、心の中ではこのまま稼業を継ごうとは思っていませんでしたから。鍼灸師が嫌だったというわけではないけど、そのときは自分が将来出世する道筋が見えなかったんです。鍼灸師自体はとても素晴らしい職業だし、たくさん稼いでいる方もたくさんいらっしゃいます。ただ、僕としては、こうした業界の難しいところでもあるのですが、儲けに走り過ぎてしまうことは、鍼灸師の本質ではないのかもと考えてしまった。いろいろと悩んで、もちろん親にも相談しましたね。当然反対されましたが。それでも、最終的には自分自身の気持ちを大事にしました。その選択は間違ってなかったと思うし、これからもそういう気持ちを大切にしていきたいですね。

自分のためにやってきたことを誰かのために

２０２１年の４月で、フリーの映像ディレクターとして３年目を迎えました。当初はお金を稼ぎたいとか、映像が好きだっていう想いが強かったけれど、少しずつ仕事が安定してきたこともあって、そういう個人の欲が少しずつ満たされてきました。いつかはこれまで自分のためにしてきたことを、今度は誰かのために還元したり、社会に少しでもいい影響を与えられるような作品を作れたらと考えています。そのためにこれからもさまざまなジャンルの映像を撮り続けていきたい気持ちは変わらないのですが、今のところ自分の代表作と呼べるような作品はないので、いつかは誰もが見たことのあるCMだったり、１０００万回再生されるようなミュージックビデオを制作したいです。

自分の強みは、説明的ではなくとにかくかっこいいと直感的に感じられる映像をディレクションすることだと思っているので、自分の強みを伸ばしていくという意味で、アパレルブランドの映像にもどんどんチャレンジしていきたいし、地元でコメディ映画作ってみたいという野望もあります。最終的にはレンジローバーを買って、結婚して子供がふたりくらいできたらもう人生最高です！

けどやっぱりイベントに行って好きな音楽を聴いたり、撮影終わりに普通にみんなとご飯行きたいですよね。撮影終わってすぐ解散っていうのは、やっぱり寂しいですからね（笑）。

１９９２、宮崎県小林市生まれ。鍼灸の専門学校を卒業後、実家の鍼灸院に３年従事。その頃からヒップホップのMVに影響を受け独学で映像制作を始める。現在は、フリーランスとしてMVを中心にWebCM、ブランドルックなどの映像を手がける。直感的にビジュアルを拡張する表現が得意。
Vimeo https://vimeo.com/foolish5884 | INSTAGRAM @foolish5884 | TWITTER @foolish5884new

the moment.
働く現場。

SHIORI IKENO

近所の昔ながらのとんかつ屋のご主人。コロナによる緊急事態宣言下、閉店時間をとっくに過ぎてものれんを下げ忘れ、カウンターで眠っていた。どうかこの場所を守り続けて欲しいと祈らずにはいられない。

池野詩織／1991年生まれ。2012年より写真家として活動開始。ファッション、音楽、アート、コマーシャルなどあらゆるジャンルを縦横無尽に駆け回り、自由奔放な個性に起因した熱のある作品を生み出している。2018年にcommune Pressより写真集『オーヴ』をリリース。 @ikenoshiori

17

水産業は、こんなに面白い。「かっこよくて、稼げて、革新的な水産業」に向かって。

一般社団法人フィッシャーマンジャパン 事務局長代理
松本裕也

日本の水産業を変えたい。「新3K」を目指して

「日本の水産業の魅力を伝え、その担い手をもっと増やしていきたい」という想いのもと「フィッシャーマンジャパン」という団体の一員として活動をしています。フィッシャーマンジャパンは「漁業をカッコよく」をコンセプトに、日本の水産業を盛り上げるべく、地域や業種の枠を超えてさまざまな領域で活動している団体です。普段は都内のとあるIT企業で会社員として働いているのですが、今は宮城県石巻市に住みながらリモートワーク中心で働いています。その仕事と並行してフィッシャーマンジャパンの活動にも力を入れている、という状態です。

そもそもフィッシャーマンジャパンの活動に携わり始めたきっかけはIT企業での仕事の一環でした。勤務している企業が東日本大震災をはじめとする復興支援に取り組んでいたんです。そこでさまざまな支援をする中で、やはり外からの支援だけではなくもっと本質的なことをやるべきなんじゃないか、という声が出てきたんです。東日本大震災で大きな被害を受けた地域、特に石巻をはじめとする沿岸地域の基幹産業の多くは、やはり水産業なんですね。ですが近年、日本人の魚離れや輸入品の増加により、日本の水産業は衰退の一途を辿っているんです。そのこと自体を解決しなくては、と考えるようになり、最初はIT企業らしくe-コマースなどを使って海産物を流通させることで水産業を盛り上げようとしました。ですが、どんなにe-コマースで流通を増やしていったとしても、利益は年間で1億、2億みたいな話で。それだけでは水産業全体の構造まで変えることはできない、と気づいたんです。

加えて、水産業のイメージもあまりいいとは言えなかった。水産業をはじめとする第一次産業というのは「3K＝きつい、汚い、危険」と言われ、働き手がなかなか増えないという現状があります。だからこそ、漁師はもちろん、魚屋や水産加工会社など水産業に携わる方々、その中でも特に若い世代の人たちの多くは「僕らの世代でイメージを変えていかなきゃいけない」ということを強く言っていた。そんな想いに触れた僕らは、IT企業で働く人間と、若い世代を中心とした水産業者の人々とでタッグを組むことにしたんです。みんなでホワイトボードを囲んで「どうすればこの状況は変わるだろう?」と議論して考え抜いた結果、今のミッション・ビジョンとなる「新3K」にたどり着いたんです。「新3K」とは、「かっこよくて、稼げて、革新的な水産業」のこと。みんなで作り上げたこの大切なミッションとともに、フィッシャーマンジャパンは日本の水産業を変え

るべくスタートを切りました。

人と人をつなげて、面白いことにつながる機運を作る

僕がフィッシャーマンジャパンにジョインしたのは、2015年のことです。転勤という形で家族で石巻に移住して。その頃には石巻にはもうがれきもほとんどなくて、ぱっと見た感じでは被災地には見えづらい雰囲気だった。でも、やっぱりここから本当に復興していくためには街の産業、特に基幹産業である水産業を盛り上げていかないと駄目だろうな、と感じました。最初はお手伝いするところから始まったのですが、やがてその活動に本格的に携わるようになっていきました。

僕らが日々どんな活動をしているかというと「変化を起こすための接点を作る」みたいなこと。自分たちでは「漁師団体」なんて言ってますけど、最近は水産業全体に活動の領域が広がってきました。水産加工会社など、水揚げした後の処理をする企業の若い経営者たちと一緒にコミュニティを作って、さまざまなことにチャレンジしています。そもそも漁師さんたちとは違って、水産加工会社の社長というのは、組織の経営者なんですよ。だから新しいことにチャレンジするにも、そう簡単にはいかない部分も多い。でも今こそ、それまであまり変わらなかったところにあえて変化を起こすことが必要なタイミングなんじゃないかと僕たちは考えました。だから「こういうふうに変わるべきなんじゃないですか」というビジョンを示しながら、変化のきっかけを作るようにしているんです。その上で必要な人や組織、事業といった外部のリソースを探して、彼らの活動と掛け合わせる。これが僕らの役割だと思っています。

具体的にはビジュアルコミュニケーションをはじめとするクリエイティブまわりのリソースなどですね。業界で活躍中のクリエイターの方々を水産業の方々とつないで、接点を作ってみるんです。パッケージやHPのデザインを刷新するだけでも、もともとの製品の魅力をさらに広くアピールできるようになるんです。とはいえ、普段は接点が少ない業界同士で直接話をしても、専門用語などが多かったりしてなかなかコミュニケーションがうまくいかない場合も多いので、僕たちが間に入って共通認識を作りながら形にしていくといったサポートを中心に活動しています。

水産業の内部に対しては、「人々をつないで、束ねて、新しい機運を作っていく」というロビー活動的なことをしていて、一方で外の人々に対しては「機運に乗って、何か面白いことや新しいことをしたい」という人々をどんどん巻き込んでいく。水産業はまさにブルーオーシャンなんです。その波に乗ったら絶対面白くなる仕事だからこそ、参加していただいた方々には全力で暴れて欲しいと思います。「一緒に変化しようぜ」っていうポジティブな機運を作っ

ていきながら、受け入れ体制もきちんと整えていく。面白いことや新しいことに挑戦する人たちの間に立つのが、僕らなのかなと思います。

コロナ禍によって、密な対話が可能に加速度を増していく水産業の変革

もちろん僕らの活動を見て、「よそものが何やってんだ」という声がないとは言い切れません。だからと言って、最初から理解してくれて積極的に参加してくれるような、やりやすい人とだけやる、ということはしないようにしています。地域に根付いた産業の裏側には、地方自治体や国といった行政、そして漁協などの産業組合など、関わる人々を昔からずっと束ねてきた人たちが必ずいらっしゃいます。いくら若い人たちが新しいことや面白いことを始めようとしても、彼らの理解を得て動かないとなかなか変わらないんです。だからこそ、そういった方々にどう理解をしていただくかをかなり考えました。難しいこともありますが、とにかく「純粋に、あなたたちと一緒に仕事をしたい」という想いをまっすぐに伝えるようにしています。昔から携わってきた人たちも、時代の流れの中であれこれ試行錯誤している。そんな歴史や想いをきちんと理解した上で、「よりよくするためにはどうすればいいか、一緒に考えていきませんか」と伝えるんです。新しいことや面白いことに貪欲な若い世代だけでなく、そういった保守的な人々をどのように巻き込んでいくか、ということを意識しながら、できる限り丁寧に対話を繰り返すようにしています。

その甲斐もあって今は「水産業を変えていく」ための役者が少しずつ揃ってきてるという実感があります。水産加工会社の若い経営者のコミュニティをはじめ、新しく関わる仲間がものすごく増えたんです。実は、それはコロナ禍の影響がかなり大きい。前から若い経営者の方々と話はしていたんです。でも全員が集まって話す場を作らないと、何も進まない感じがすごくあった。とはいえ、経営者の方々は本当に忙しいので、全員が一堂に集まる場を作ることすら難しい。ですがリモートワークが当たり前になって、「オンラインでやろう」と言いやすくなった。このコロナ禍で何をするべきか、ということをみんなで話し合える環境が生まれたんです。それからはもう、FacebookでMessengerのグループを作って、日々情報を共有しながら、毎週ミーティングを開いて……。例えば「ドライブスルーで余ってしまった商品を、格安で商品ギフトにして売ってみよう」とか、「カタログを作って共同で販売してみよう」とか。いつのまにかチームになっていったんです。今年も用意している企画がいくつもありますし、法人化するみたいな話も出てきたりしている。コロナ禍が起きる前はそういう動きが起こる気がしなかったんです。でも去年1年でそれが大きく変化しました。

今後は石巻を水産イノベーション特区的な街にしていきたいと思っています。テック系のベンチャーや大学の研究室、大手企業も含めて、いろんな業界の人たちが新しいことに挑戦できる、ラボのような場所を作りたい。同時に、大卒でベンチャー企業に入りたい人や起業をしたい人たちなどをどんどん呼び込んで、この街で働く人を増やしていけたらいいですよね。

「自由」を手に入れた僕らが向かう先

コロナ禍はネガティブな影響ももちろんありましたが、どちらかというとポジティブな変化が多かったですね。リモートワークで東京の仕事をしながら石巻に暮らし続けることができているのもそのひとつです。昔から地方都市に住みたいと思ってはいましたが、「東京にいて、東京にある会社で、東京にいる人たちとのコミュニティの中でしか、できないことがある」と考えていました。でも最近は「東京のことも地方のことも、同時に地方でできる」と思うようになりました。今は「地方」というのは無敵かもしれないと感じています。例えば僕自身は、満員電車に揺られて過密な中で生活するよりも、子供と一緒にのびのびと自然の中で過ごせたほうがいい。妻とも「もっとこの街にいたい」という話になり、石巻内でより暮らしやすい家に引っ越しましたしね。

コロナ禍によって、ある意味で僕たちは本当に自由になった部分もあると思うんです。場所も、時間も、何にも縛られなくなった。しがらみがかなりなくなりましたね。「集まらないとダメだ」とか、「直接会わないと進まない」というようなことがほとんどなくなって、いろいろなことがスピード感を持って進むようになった。もちろんたまたま所属している組織や住んでる場所を含めて、やれることが増える立場にいたからそう捉えられるのかもしれません。それでも、コロナ禍が収束したとしても、ポジティブな変化によって生まれた新しい価値観や社会構造は、できる限りもとに戻らないで欲しいと強く感じています。場所や時間を超えて自由になれた僕たちが、これからもずっと自由であり続けられる世界であって欲しいと願っています。

1985年、福岡県生まれ。2009年に都内のIT企業に入社し、3年間広告営業として従事。2015年から石巻で復興支援を行う部署へ異動し、その後一般社団法人フィッシャーマンジャパンに参画。現在も石巻に住み、事務局長代理として日本の水産業の変革を目指すべく日々活動を行なっている。WEB SITE https://fishermanjapan.com/

OUR ASSOCIATES

the
SUKIMONO
BOOK

18

湯を沸かし、人をつなぐ。
走る銭湯は世界へ。

移動式銭湯
三宅天真

軌道に乗り始めた活動は予期せぬ事態に

２０１８年から、改造したトラックの荷台部分で湯を沸かし、街中でゲリラ的に足湯を提供する「移動式銭湯」と名付けたアート活動をしています。始めた当時は埼玉に住んでいて、平日は都内の会社でライターとして働き、毎週末に渋谷のセンター街まで移動式銭湯を走らせていました。

しかし、状況はコロナによってかなり変わりまして……。実は留学のプログラムに受かり、２０２０年の４月からイギリスに行く予定だったんです。もともと、このアート活動を世界中でやると決めていたので、その下準備も兼ねていました。会社の代表にも３月末で退職することを伝え、「頑張ってこい」と背中を押され、盛大に送り出していただきました。そのちょうど次の日くらい。留学プログラムのエージェントから電話があり、コロナの影響で留学が中止になった報せを受けたんです。会社も退職してしまったし、渡航も中止。オマケにその後新たに進めていた転職活動も５月の緊急事態宣言によりすべて白紙に。でもなぜか不思議と悲観することはなくて「きっとなんとかなるな」とそう感じていました。もしかしたら今日この日の未来をうっすら予感していたのかもしれません。

緊急事態宣言中は、いつ宣言が終わるのかもわからず、時間だけ過ぎていくのには耐えられなくなり、この時間を使って旅に出ることにしました。留学の資金を切り崩して、移動式銭湯のトラックでまずは東北へ向かい、北から南へ。その旅を終えたのは夏の終わり頃。次は何をしようかと考えていたときに、知人を通して知り合った、大分の災害復興支援を行う団体の代表の方から連絡を受けました。２０２０年の７月、大分の温泉地は記録的な豪雨で甚大な被害に合っています。その復興支援を行う団体で「力になってくれないか」と相談があったんです。これも何かの縁だと考えた僕は、すぐに東京から大分へ向かい、今に至るまで災害復興支援活動のお手伝いをしています。

アーティストとして実現したい夢

災害復興支援はボランティアとして入りましたが、助成金などにより生活をする上で必要なお金はいただいています。街の方ともだんだん仲良くなることができ、とてもやりがいを感じます。
ただ、この活動は僕の中ではリミットが決まっていて、そのことは周りのメンバーにも伝えています。僕は95年生まれの25歳なのですが、2021年の11月に26歳になります。26歳といえば語呂合わせで〈風呂＝フロ〉ですよね。一生に一度の風呂の年なので、なにか面白いことをやりたい。移動式銭湯は「世界中の人をお風呂でつなぎたい」という意味で始めたものなので、26歳のうちにその夢を少しでも実現させたいです。次の行き先は、渋谷のセンター街よりもっと世界中の人が集まる場所、NYを目指しています。これは〈入浴〉にもかけているんですけど(笑)。その夢を実現させるために、まずは長期滞在のビザを取得しやすいカナダのトロントに拠点をおいて移動式銭湯の車作り、活動をする上での仲間集めをしたいと考えています。そして26歳のうちにNYに辿り着き、そこからアメリカを3ヶ月間かけて旅したい。その前に移動式銭湯でまだ回れていない西日本への旅もしたいので、大分にいるのは9月くらいまでだと思います。

活動の原動力と目指すもの

移動式銭湯は商売ではないんです。むしろやればやるほどガソリン代など諸経費がかかります。さらに、実を言うと僕は運転が苦手で、本当は30分以上運転したくない。世界一向いていないアートをやっているのかもしれません(笑)。それでも行きたいと思うのは、それに勝るくらいのワクワクを感じることができるから。普段その場所にない、ありえないものが突然生み出され、そこに人が集まって人と人がつながっていく。移動式銭湯はコンテンツというより人をつなぐメディアなんです。銭湯や温泉の世界にも今までなかったものを作って、思ってもみないような化学変化を生み出したいです。

僕がやっているアートは、極端な話をすると僕の姿はなくてもいい。渋谷の例で言うと、まずセンター街に車を停めて、いきなり火を起こし始めます。薪でお湯が湧くようなシステムで、煙突から煙がモクモク上がります。はっぴ姿のアフロの男がそんなことをしていると、街ゆく人が「何をやっているんだろう?」と足を止めます。僕がこういうアートをやっているということを話すと、「体験したい!」と言ってくれる人もいます。移動式銭湯を体験していただくとき、お金は一切いただいていませんがひとつだけルールがあります。それは、体験する人は必ずこのはっぴを着るということ。そうすると、センター街を歩く人からは、はっぴを着た2人組が路上で何かをしているように見えますよね。そしてまた誰かが足を止める。それを繰り返すことで、はっぴを着た人がどんどん増える。そしていつのまにか、アート集団がパフォーマンスをしているように見えるんです。でも実際は今日初めて出会った他人同士。

僕はその光景を見ているのが好きで、役割は裏方に徹したい。ある意味、銭湯の番頭として正しいんじゃないかと思っています。昔、銭湯でバイトをしていたんですが、実際の番頭も湯船で何が起こっているかはわからないですよね。僕は入り口を作る役割をするだけで、その先ではお客さんがつながったり、つながらなかったりする。そうやってつながりの場を作ることに、やりがいや楽しみを見出しています。

今、行っている災害復興支援の活動にも同じことが言えるかもしれません。温泉街という空間で、災害の復興を通して人がつながっていくことをサポートする。今までやってきたどの活動や仕事においても、僕のやりたいことは共通点があります。

旅の経験が生んだ、自分らしさ

もともと学生の頃から旅が好きで、47カ国ほどバックパックで旅をしました。ありきたりですが、外へ行けば行くほど日本の文化の可能性に気付きます。海外では、日本人の僕は富裕層のひとりとして見られることも少なくありません。それは物乞いだったり客引きだったり。そうした状況に置かれたとき、お金を払って解決するか、追い払う。対応としてはだいたいこのどちらかになると思います。でも僕は、それ以外のやり方がないか自分なりに考えたんです。そして思いついたのが、大好きなダンスや音楽を一緒に楽しむことで友達になるという方法でした。僕なりに導き出したこのやり方で、あらゆるトラブルを楽しみに変えてきました。

旅の経験を通して、徐々に自分の実現したいことが明確になってきました。その中で、「争いがない世界」というのは難しいと思いますが、「仲直りができる世界」にしたいと思うようになりました。そのために僕ができることはないか。そして帰国した僕が考えたのが、日本のお風呂の文化を借りて人と人をつなぐ、移動式銭湯というアート活動でした。

後悔させないためにできること

これまで、転職と言えるのかわかりませんが、活動の場は何回も変わっています。そういった場面で、僕は誰かに相談はしていません。すべて自分で決めることが多いと思います。ただ、僕は本を読むことが好きなので、影響を受けた本の著者の意見や考え方を参考にすることはあります。その結果、自分の行動を後悔したことはないですね。転職などをするときに、人にはふたつのタイプがあると思っています。それは、しっかりと計画を立てていい答えを見つけようという人と、辿り着いた先を答えにしようという人。僕は後者で、例えば旅をしていてもプラン通りに進むことはほとんどなく、むしろトラブルが起こったときにその状況をいかに楽しむかを大切にしています。旅や仕事、アート活動もそうですが、思い通りにならないことを楽しみたい。だから後悔したことがないというより、自分に後悔させなかったと言えるかもしれません。今は職業の選択肢もたくさんあるし、多様性も認められてきている時代だと思います。しかしそれでも、自分の仕事に対して思い悩んでいる人が多いようにも感じます。それはきっと、どんな職業になりたいか考えていたとしても、その先で何をしたいのかイメージをしない人が多いからではないでしょうか。どんな職業に就くかよりも、その職業、その場所で何をしたいのか考え、成し遂げたい目標を持つことが重要だと思いますね。

少し先の未来、自分にかけたい言葉

あらゆるターニングポイントにおいて、自分自身には「常に肩書きを捨てろ」と言いたいです。人生を重ねるほど自分の履歴書は埋まっていきます。僕だったら、「ライティング、編集をやっていました」「47カ国を巡った旅人です」「移動式銭湯という活動をしているアーティストです」「大分で災害復興支援活動をしています」といったように、言えることが少しずつ増えていきます。でも僕は初めて出会った人に、これまでしてきたことをあまり詳しく話しません。きっとTV番組に出演したことなどを話した方がわかりやすいとは思うのですが、あえてそれを伏せ、固定観念がない状態で僕のことを見て欲しい。ひとまず肩書きを手放し、アウェイの環境に飛び込む。そして受け入れられたと感じたときに初めて、実はこれまでこういうこともしてきたんです、と話をするようにしています。僕にとってはそれも人生の楽しみになっていて、そうした生き方を目指すようになったのは、尊敬するキング牧師の言葉に影響を受けたことがきっかけです。有名な演説、「I have a dream」でキング牧師が訴えたように、どんな相手も友達に変えたい。そんな人生の目標、僕の生き方を、大好きなRAPでよく仲間に語ります。

「人間裸になれば、皆一緒、きっと、俺もお前も、そうMY風呂(brother)」

今ある幸せを感じて、先に進む

コロナの影響によって、予定していた留学がなくなってしまったり、移動式銭湯ができなくなってしまったり、さまざまな変化がありました。それでも、今できることはたくさんあるはずです。これはコロナだけではなく九州の豪雨災害の被害にも同じことが言えると思っています。もちろん、どうやって復興・再生するかを考え、未来を目指すことは何よりも重要ですが、このタイミングをきっかけにそれまでに叶えてきた夢を振り返ることも同じくらい重要なんじゃないかと感じています。例えば、小さい街やコミュニティだとよくあることらしいのですが、僕がいる温泉街は今まで同業者同士の仲があまり良くなかったそうなんです。しかし、災害などをきっかけに手を取り合ってひとつになろうとしていて、その関係性にも変化が生まれてきています。もしかしたらそうした姿は、一昔前の人たちが夢見た未来かもしれません。未来を見続けることは大切だけど、「今目の前にある幸せ」を再認識することもできるはずです。

　僕が今いる大分は、東京などに比べてコロナの感染者が少ないエリアなのですが、やはり観光地としての影響は少なからず受けています。移動式銭湯も野外ではあるけれど、人を集めてしまう可能性があるので気軽にはできません。またセンター街にも行きたいのですが、今は難しいですよね。でもやっぱり、海外に旅立つ前に、もう一度東京のストリートでも移動式銭湯をやりたい。だからこそ、事態が少しでも早く終息することを願っています。それまでは僕に「今できること」を最大限に楽しみ、いつかまた東京のみなさんにも移動式銭湯を楽しんでいただけるよう、この活動を続けていきたいと思っています。

お風呂と旅が大好きな25歳。世界47ヵ国を旅した結果、日本の湯の可能性に気づき『移動式銭湯(MobileSento)』というアート活動を始める。渋谷のセンター街で実行した〝ストリート銭湯〟という活動や、日本全国で〝旅する銭湯〟を実行した後、今は2020年に洪水被害にあった大分三大温泉地のひとつである「天ヶ瀬温泉」という地で7ヶ月ほど復興支援に携わる。

19

世界に挑戦!
可能性はそこにある。

スペイン語通訳・動画編集

山中敦史

南米サッカーとの出会い

小さな頃からサッカー漬けの毎日を送り、2012年から2018年にかけて、中南米のチームを回ってサッカー選手としてプレーしていました。中南米の方へ行ったきっかけは、2011年に開催されたコパ・アメリカのアルゼンチン大会。南米の代表チーム同士で争う大会で、パラグアイ代表の試合中継を観たんです。南米サッカーは個人技重視のイメージがあったのですが、パラグアイは球際の強さとか、最後までボールを追いかける熱い感じが全面に出ていて、その力強いプレースタイルにすっかり魅了されてしまいました。プロとしてサッカーをやるならパラグアイでプレーしたいと思って、後先考えず、思い切って大学を中退。アルバイトで渡航資金を貯めて、南米サッカーに挑戦したんです。当時はまったく南米方面にツテもなかったので、サッカー留学者を斡旋している留学機関に仲介していただきました。

異国の地から異国の地へ

パラグアイで最初に所属したチームはセミプロみたいな扱いで、契約金などもなく、勝利給が支給される感じでした。寮や食事は提供されるんですけど、勝ったときに「チパ」というパンとわずかなお給料が出るだけ。けっしてプロと言える状態ではなかったですね。その後、パラグアイで丸2年プレーしたのですが、3年目に入るとなかなか試合に出場できなくなってしまいました。どうしようか悩んでいたときに、元パラグアイ代表のデニス・カニサというパラグアイのスター選手と会う機会があって。彼から「南米のチームは外国の選手を冷遇するところがある。一度南米を離れて、北中米・カリブ海のリーグに行ってみたら?」とアドバイスをいただいたんです。北中米・カリブ海方面は未知の地域だったので、一度自分でちゃんと調べようと思い、日本に一時帰国。調べてみたところ、スペイン語圏のドミニカ共和国が目に止まりました。まだ日本人が進出していないし、サッカーのレベルも発展途上だからチャレンジするのには良さそうじゃないかと。そのときはパラグアイでの経験もあったので、仲介業者も通さずに単身乗り込みました。現地に着いたらスペイン語の情報を頼りに、まずはドミニカ共和国のサッカー協会へ。そこで「とにかく、プロサッカーチームを紹介してくれ」と言ったら、すごくあっさり紹介してくれて(笑)。サンクリストバルというチームだったんですけど、練習場に行ったらすぐに練習参加させてくれました。元セリエAの選手もいて、これからサッカーを普及させて、レベルアップしていこうというのが感じられましたね。

記録にも、記憶にも残ったアジア人初ゴール

このドミニカ共和国の1部リーグでゴールを決めたのが、いままでのサッカー人生で一番思い出深いですね。アジア人初ゴールで、新聞にも載り「やってやったぞ」という気持ちでした。誰もやったことのないことを成し遂げたいというのが、僕の原動力なんです。先駆者となってあとに続く人たちへの道を作りたいという気持ちが常にあったので、そういった意味でもこのドミニカ共和国でのチャレンジはいままでの人生で大きなものでした。ドミニカのあとは、コスタリカ、コロンビアと中南米を渡り歩いてサッカーをプレーしました。

中南米からの帰国。そして、新たな道へ

中南米のサッカー挑戦で最後に訪れたコロンビアでは、チームの事情やビザの関係などもあり、プロとして契約を結ぶまでには至りませんでした。当時26歳。日本のリーグやヨーロッパなどでサッカーを続ける選択肢はありましたが、プレーするなら中南米にこだわりたかった。それに、自分の人生を考えたときにサッカーしか知らないままでいいのかという思いもよぎり、コロンビアから帰国した際に、サッカー選手としては引退して、心機一転、他の道にチャレンジすることにしたんです。サッカー選手を引退してから最初に就いた職が病院での調理師勤務。料理もほとんどやったことがなく、新しいことにチャレンジしようという意気込みだけで面接を受けてみたら、なぜか採用されて(笑)。ただ、病院と提携している会社がすぐに変わってしまい、3ヶ月くらいの短い勤務になってしまいましたが。そのまま調理師として進む道もあったのですが、歴が浅かったですし、他にもっと自分に向いた仕事があるんじゃないかと悩みました。そんなときに知り合いから声を掛けられ、社会人サッカーチームに参加した際に観光業で働いている方に出会ったんです。僕が中南米でプレーしていたのを聞いて、スペイン語通訳の仕事があるのを教えてくれました。中南米での経験を活かせますし、人とコミュニケーションを取るのが好きなので自分にぴったりだなと感じて、すぐに通訳の仕事を紹介していただきました。

通訳と動画編集、二足のわらじ

そんな紆余曲折があり、今は通訳の仕事をしながら、フットサル場の運営手伝いと、そこをプロモーションする動画編集をしています。通訳の仕事は始めた直後の2019年に日本でラグビーワールドカップが開催されて、アルゼンチンから来日したサポーターを案内するなど仕事がたくさんあったのですが、今はコロナの影響で全く仕事がなく

なってしまいました。動画編集はお手伝いしているフットサル場で行われているフットサルやソサイチ（7人制サッカー）の試合を撮影して、それを編集して配信している感じです。フットサル場が発信しているSNSは、勝ったチームの集合写真が多くて、実際どんなレベルの人たちが参加する大会なのかわかりにくいなと感じていたんです。これからフットサルを始めようと思っている人は不安に思うんじゃないかと。それなら、プレーしている動画を編集して投稿したら喜んでもらえるはずだと。動画編集はまだまだ勉強中ですが、実際に動画を投稿するようになってから「動画を観て参加しました」という人も多くて、そういう反応があるとモチベーションになりますね。

特技をミックスした活動

スペイン語通訳と動画編集という、今の仕事を活かして個人的に取り組んでいるのがスペイン語YouTuberとしての活動です。英語講座のYouTubeチャンネルを持っている日本人の方はたくさんいるのですが、僕は中南米で親しんできたスペイン語の魅力をみんなに知ってもらいたくてスペイン語を扱っています。まだチャンネル登録者数599人という弱小チャンネルではあるんですが、配信し続けて、スペイン語圏内でサッカーをプレーしたい子たちに届くといいなと思っています。

コロンビアと日本の架け橋になる

最後にサッカーをプレーしていたコロンビアに今はすごく興味があって、将来はコロンビアに移住して、サッカーのエージェントとしてコロンビアと日本をつなぐ存在になりたいと思っています。まだ具体的な形にはなっていないのですが、一緒に動いているパートナーがいて、その人と近いうちにコロンビアに行って現地のクラブチームに「日本との橋渡しをしたいんです」と営業できたらいいなと思っています。すでにJリーグのチームにも「コロンビアの選手ってどうですか?」って聞いてみたりはしているんですけど、コロンビアの選手は少しイメージが悪いようでした。今までセレッソ大阪にいたフォルランやFC東京にいたワンチョペなど、中南米のスター選手たちがJリーグでプレーしてはいるんですけど、途中で退団したり、満足いく結果を残せずチームが降格してしまったり、上手くいった前例がまだないんですよね。唯一ブラジル人だけはジーコがJリーグ黎明期から日本でプレーしていたのもあったので、いまだにJリーグでの信頼は厚いです。ただ、本当にブラジル人以外の中南米出身の選手がいない。そこを僕が上手く橋渡し役となって、中南米の選手がJリーグでも活躍できるようにしていきたい。スペイン語の通訳や動画編集も今後の活動で活きてくると思っています。

海外で得たチャレンジ精神

今はコロナ禍の影響で自分が得意としているコミュニケーションが取りづらくなってしまい、少し難しい状況ではあります。そんな中でひとつの支えになったのが中南米でサッカーをしていたときに身につけたチャレンジ精神ですね。中南米の人たちは何か挑戦して失敗してもあまり気にしないんです。10回挑戦して9回失敗しても、1回成功したら結果オーライという感覚。練習生としてチームに参加して、結局最終的な契約まで至らないことが何度かあったときに、「そんなの気にするなよ、そんなの普通だから」ってチームメイトに声をかけられて。挑戦することが大事なんだなと身に染みて感じました。挑戦をしないとひとつの可能性も生まれませんから。コロナのこともあって、仕事が不安定になり将来のことを不安に感じている人がたくさんいると思うんです。統計的に自殺者も増えたという話も聞きました。でも、その不安って国内にしか目を向けてないからだと思うんです。海外に視野を広げれば、可能性がぐっと広がります。だから、日本という括りだけでなく、全世界を見てチャレンジをして欲しいなと思いますね。こんなことを言っていますが、僕も不安なことがないわけではないです。本当にサッカーのことしか頭になくて、特にお金のことは無頓着だった。でも、帰国してからいろいろな人たちに会う中で、お金のことについてもっと知らないとまずいなと思いました。生きていく上では資産のことやお金のルールを知っておかないと、騙されたり、税金や年金をロスしたりしてしまう。最低限の知識は持っておこうと、お金のことに関する本を読み漁って、人にも話を聞いて勉強するようになりました。

壁をぶち破るまで続ける

半年後の自分に向けて言葉をかけるとすれば、「壁にぶち当たってもやり続けろ」ですね。目の前にある壁を突き破ることでしか先には進めないので。自分がやろうとしている日本とコロンビアをつなぐ仕事はまだ先駆者がそんなにいません。未知の領域なので、壁にぶち当たると思います。なので、とにかく壁をぶち破るまで続けなきゃですね。とにかく、早くマスクなしで話せる普通の生活に戻って欲しい。相手の表情がわからないとコミュニケーションも取りにくいですし、マスクなしで色んな人と話せる日がとにかく待ち遠しいです。

19歳で中南米サッカーへ挑戦。パラグアイ、ドミニカ共和国、コスタリカ、コロンビア等でプロサッカー選手としてプレー。スペイン語通訳、動画編集、個人フットサル運営のスタッフとして活動。YouTubeチャンネル「アツシが教えるスペイン語【アツスペ】」の配信も行っている。YOUTUBE https://www.youtube.com/channel/UCNj09DYvRfuRJ0TIfczFO6g

OUR ASSOCIATES

TWO VIRGINS

20

異国の地で発展するラーメンの未来。

ラーメン屋「ramen RAIJIN」オーナー
吉田洋史

海外でラーメンを作る

カナダのトロントでラーメン屋を経営しています。トロントにある「ramen RAIJIN」というお店と、バンクーバーにある系列店の2店舗、あわせて3店舗。あとはグループ会社のセントラルキッチンも任されています。なので、今は4事業所くらいを統括して見ている感じですね。お店ではトロントの人たちに合わせていろいろな種類のラーメンを提供しています。豚骨ベースと鶏ガラベースの両方があって、それぞれ4種類ずつつくらいのメニューと、ベジタリアン向けのラーメンがあります。

トロントでラーメン屋を始めたのは11年前、2010年の3月にワーキングホリデーでバンクーバーに行ったのがきっかけでした。しばらく暮らしてみると住みやすく、1年で帰るのはもったいないなと思い、ワークビザを取得してしばらく住もうと思ったんです。こっちでは、仕事でビザを取得するのが一般的だったので、学生の頃にラーメン屋でアルバイトをしていた経験を活かして、バンクーバーのラーメン屋に勤めて、そこでビザをサポートしてもらったんです。なので、最初はカナダに残る手段としてラーメン屋を始めたんです。お世話になっていたそのお店が2012年にトロントにも進出するというので、トロント店の立ち上げを任されて、紆余曲折あり共同経営という形で今に至ります。最初はずっとラーメン屋をやっていく気はなかったんですけど、トロント店を任されてオープンしたときに全然上手くいかなくて、それが悔しくて、味やオペレーションを見直していく中でどんどんラーメンの世界にのめり込んでいきましたね。

自由な発想がラーメンを発展させる

日本だとラーメンってこうあるべきみたいなものが、ある程度できあがってしまっていると思うのですが、海外ではラーメン自体が新しい食文化なので自由な発想でラーメンを捉えています。今後ラーメンが発展していくとしたら海外なのかもとも思いますね。例えば、カナダ特産のサーモンを使ったラーメンやロブスターを使ったラーメンを作ったこともありました。ロブスターが乗ったラーメンが3000円と言われると日本人は敬遠してしまうと思うのですが、その価格帯で売り出しても、トロントだと多くのお客さんが食べに来てくれるんです。そういうところが面白い。特にトロントはカナダの中でも人種のモザイクと呼ばれるような都市で、イタリア人街、ギリシャ人街、コリアンタウン、チャイナタウン、ジャマイカタウンなど、色んなカルチャーが混じり合っています。どの国にも麺料理があって、抵抗なくみんなラーメンにもおいしいと言ってくれますし、トロントという街は場所的にもよかったのかもしれません。

コロナ禍で生まれた冷凍ラーメン

今はトロントもバンクーバーもコロナの影響でお店の営業はできない状態です。2020年の9月頃にコロナが落ち着いた時期は、1ヶ月半くらい店内営業ができたんですが、すぐにロックダウンになってしまって、今も第三波がきて感染者数も増えているので、しばらく通常営業は難しいです。そんな中でもデリバリーやテイクアウトを行ってはいましたが、売り上げが足らず、社員への給与もあるのでどうにかしなきゃと思って始めたのが冷凍ラーメンの開発です。冷凍ラーメンが日本で売っているのは知っていたんですが、僕は食べたことがなくて、見よう見まねでやってみたら、意外と上手くできたんです。売り出してみるとできたてのラーメンと遜色ない味が家で楽しめるとお客さんにも好評で。直接人と会うことが難しい状況ですが、お客さんのお家まで冷凍ラーメンを届けると「ありがとう」「美味しかった」と言ってもらえる。郊外の広大なトウモロコシ畑にポツンとあるようなお家にも直接デリバリーしていて、コロナ前だと気軽にラーメンを食べられなかったと思うのですが、そういった新しい客層にもラーメンを楽しんでもらえているので、それが今のやりがいになっています。店舗で食べるラーメンか家で食べるインスタントラーメンという二択しかなかったところに、店舗の味を家で食べられる「冷凍ラーメン」という選択肢を増やすことができて、家でも美味しいラーメンを食べてもらえる。今までになかった新しい文化なので、すごく可能性を感じていて、僕自身楽しみながら取り組んでいます。

何気ない日常のありがたさ

プライベートの時間もコロナ禍がきっかけで感じ方が大きく変わりました。ふたりの子供がいるのですが、休日の朝は子供とパンケーキを焼いて、そのあと少し宿題を見てあげて、お昼にはラーメンを作って食べて、子供たちと近所でスケボーしたり、ちょっと移動すれば自然に囲まれた場所があるのでハイキングに行ったり、夜は近所のお肉屋さんでステーキを買ってきてみんなで食べたり。何気ない日常なんですが、そういうことがすごくありがたく感じるようになりました。特に、子供が生まれるタイミングとトロントのお店の立ち上げが重なって、僕はほとんど家にいないような生活だったので、2〜3年は子供と過ごす時間をほとんど持てなかったんです。何かで読んだのですが、小学校を卒業する12歳までで、子供と過ごす時間の7割くらいが終わってしまうらしくて。いま振り返るともうちょっと子供たちと一緒に過ごした方が良かったかな？　とか、何のために僕は仕事をしているんだっけ？　とか、コロナをきっかけで考えるようになりました。家族との時間はかけがえのないものですし、時間は二度と戻らないから、一日、一日を大切に過ごそうという気持ちが強くなりましたね。

「働く」と「Work」の違い

今でこそ環境に慣れてきて、上手くやれていますが海外でお店をやっていくのは大変なことも多いです。特に仕事に対する感覚の違い大きかったですね。お店の工事を頼んでも納期から3ヶ月や、半年遅れることも割と普通。一度、お店を引っ越したときに予算30万ドルでお願いしたのに、蓋を開けてみたら納期は8ヶ月遅れ、かかった費用が倍の60万ドル。これには困ってしまいましたね。あとは、アルバイトでも、始業時間ぴったりに来て、終業時間ぴったりに帰る。契約上問題はないんですが、少し早めに来て準備をしておくとか、多少遅くなっても全部片付けて帰るとか、日本だとそういう感覚があると思うんです。でも長くこっちにいて理解できたのが、「働く」と「Work」の捉え方の違いなんじゃないかということ。人が動くと書く日本人の「働く」は、何のためにやっているかわからないけど決まった作業をして、何となく時間を埋めるための業務でも、時間が過ぎればそれで働いたことになり、長く働けば頑張ったとみなされます。一方で、「Work」には機能するというニュアンスがあって、作品と訳されることもあるので、その仕事で何かしらの価値を生み、成果物が上がらないと、それは「Work」とは言えないという含みがあります。「働く」がダメで「Work」がいいということではないのですが、「働く」感覚で日本は戦後の高度経済成長期からバブル期にかけてジャパンアズナンバーワンと言われるまでの発展を遂げました。ただ、その大きすぎる成功体験が平成のいわゆる「失われた30年」を生んでしまい、令和になった今でも根深く残っているように感じます。大量生産、大量消費社会では「働く」は大いに機能するけど、サステナビリティやSDGs、EGS投資というような判断軸が必要な現代においては、「Work」の考え方を日本人も持つ必要性を感じます。特に日本は人口減少社会なので、生産性が上がらない限り生活水準を落とすしかありませんが、生産性を上げるには、まず「働く」というカルチャーをどうにか変えていかないといけないでしょうね。

テイクアウト論争

カナダでラーメンのテイクアウト自体は以前から普通にあって、日本では信じられないでしょうけど、食べ残したラーメンを容器に入れて持ち帰るのも一般的。最初は僕もラーメンのテイクアウト文化に抵抗があって、特に持ち帰ると麺がのびちゃうし、絶対においしくないから僕のお店ではやっていなかったんです。でも、お客さんに「何で持ち帰りができないんだ」と言われたことがあって、「作りたてを食べてもらうのがおいしいからだよ」と言っても、「それはわかってるけど、俺は家で食べたいんだ」って、お客さんと口論になったことがあって(笑)。たしかにテイクアウトができないわけではない。お客さんが「俺がいいって言ってるんだからいいじゃないか」って。それを言われたときに、作り手側のこだわりはもちろんあるけど、お客さんの希望に応えるのもそれはそれで大事なことだなって感じて。自分がハンバーガーを買いに行って、「持ち帰りは美味しくないからここで食べて」と言われたら行かないだろうなって。日本の常識みたいなところをこっちに持ち込んで、頭が固くなってしまっていたんでしょうね。日本人は特に生真面目なので、オペレーショナルにできる、できないを考えてしまいがちです。「うちではやってません」とか。でも、お客さんからしたら「できるんでしょ。じゃあやってよ」みたいなことはたくさんある。そういう部分ではこのエピソードがきっかけで柔軟になれましたね。テイクアウト論争の経験をしていなかったら、Uber Eatsでラーメンを届けたり、冷凍ラーメンのアイデアを考えたりすることもなかったと思います。その土地の文化に合わせるとか、お客さんの要望にできる限り応えるとか、そういうのは商売の基本なんだなと考えを改めました。

次のステップへ進むために人を育てる

ラーメン作りも好きなのですが、最近は人を育てることに興味があります。経営者になってみて、自分だけが頑張ってもビジネスは広がっていかないと感じるようになったんです。店舗が増えていくにあたって、構造が変化して、組織作りをしなければいけない。そうしたときに、いい会社って何だろう？ とか、人が成長するようなお店ってどんな店だろう？ とか、そのためにどうしたらいいか、どうしたらみんなが一生懸命頑張ってくれるんだろう、と考えるようになって。勉強会を実施してみたりと、人を育てることに試行錯誤しているところです。人が何をするかは自分の力ではどうしようもない部分なので、人の気持ちに訴えて、その人の考え方が変化して、それが行動につながる。人が育つとか伸びるというのはそういうことだと思うので、そういった従業員の育成に、今は興味を持ってますね。

現状に満足せず、試行錯誤をする

一生ラーメン屋で終えるのかと考えたら、それももったいないというか。人生は一度きりなのでチャレンジしたい気持ちも常にありますし。今はラーメンに力を入れているけれども「一生それで食べていくぞ」となったときに世の中が変化して、上手くいかなくなる可能性はいくらでもあると思います。だからラーメンに限らずいろいろやっていきたいというのはあります。常にアイデアを探していたり、新しいビジネスがあるんじゃないかと考えていたり。そういった意味では「試行錯誤」が僕の人生のテーマかもしれません。新しいことをやってみて、最初は形にするだけでいろんな綻びがあったり、上手くいかない部分があったりする。そこを育成していって、サービスとか商品のクオリティを上げていくみたいな。仕事に限らず、家族の関係性とかもそうだと思いますし、そうやって生きてきましたね。

再び音楽で盛り上がれる世界に

コロナが終息したら、日本に行ってみんなで温泉旅行したいねって話してます。奥さんの両親に子供を見せてあげたいですし、自分の両親にも元気な姿を見せたいです。あとは、ライブやクラブに行けないのは、本当に辛い。生で音楽に触れられない、誰かと体験を共有することができない。息抜きにひとりでローカルのクラブによく行っていたんです。楽しみにしていたライブがいくつもなくなってしまって悲しかった。秋くらいにはなんとか終息して、またライブで音楽を聴いて盛り上がれるようになっていたらいいですね。

カナダのオンタリオ州トロントでラーメン屋「ramen RAIJIN」を経営。現地のラーメン好きに合わせて様々なメニューを提供。昨年冷凍ラーメンを開発し、販売をスタートした。J-WAVE「SONAR MUSIC」にて、不定期でカナダの音楽を紹介するなどラーメン以外でも精力的に活動中。WEB SITE http://zakkushi.com/raijin/

21

ローカルの
コーヒーショップから
町を盛り上げる。

Push & Pour Coffeeオーナー

ルーカス・エルレバッハ

魅力的なコーヒーショップを地元に

アメリカのアイダホ州ボイジーという街でPush&Pour Coffeeというコーヒーショップを経営しています。2020年12月に2店舗目をオープンして、今年中には3店舗目もオープンできるように動いているところです。僕とパートナーのBrennan Conroyはもともとボイジー出身ですが、学校を卒業してから、僕はサンフランシスコ、Brennanはポートランドに住んでいました。それぞれの街には魅力的なコーヒーショップがたくさんあって、暮らしているうちにすっかりコーヒーショップの虜になってしまいました。何がそんなによかったのかと言うとサンフランシスコやポートランドのコーヒーショップはおいしいコーヒーを提供しているだけでなく、ローカルのアーティストが作ったアートが飾られていたり、近所の人たちの憩いの場になっていたり、人と人がつながれる場所になっていたからです。僕とBrennanは自分たちが育ったボイジーにもそんな場所を作りたいと思い、2018年にボイジーに戻って、最初のお店をオープンすることにしました。

思い出のコーヒーショップ

僕を虜にしたコーヒーショップを何軒か紹介しておくと、ポートランドだとFour Barrel Coffee。ここはとにかくコーヒーがおいしい。今ではポートランドを代表するコーヒーショップになりました。サンフランシスコではいくつかあって、まずはAtlas Café。ミッション地区に昔からある、バックポーチの雰囲気がとても好きな老舗でした。よくランチをスケーター仲間と食べに行ったりしていました。それにPhilz Coffee。もう亡くなってしまったんですが、オーナーのフィルさんの人柄がとてもよくて通っていました。淹れてくれるオリジナルターキッシュコーヒーは香りも味も最高で、僕が通っていた頃は小さなコーヒーショップだったのですが、今ではベイエリアに何十件もお店を構えるチェーン店になりました。そして、最後にSt.Frank Coffee。サンフランシスコで住んでいたアパートの近所にあったコーヒーショップで、毎日のように行っていました。バリスタが淹れたおいしいコーヒーで、特に2日酔いの朝の体には効き目抜群で、目覚まし代わりにしていましたね(笑)。こんな風に本当に生活の一部として、コーヒーショップの存在がありました。

仲間とDIYで建てた一号店

僕はサンフランシスコでは朝起きて日が暮れるまでスケートボードに乗って過ごすような生活をずっとしていたから、コーヒーショップを経営するなんてノウハウはなかったけれど、Brennanやスケーター仲間、地元の仲間たちに協力をしてもらいながら、とにかくお店を作ってみることにしました。作るっていうのは言葉の通り、自分たちでお店を建てたんです(笑)。スケーターに大切なDIY精神ってやつですね。できることはすべて自分たちの手で行ったので、お店を建てる作業はとても困難だったけれど、同時に達成感も大きなものがありました。建設現場で働いた経験はありませんでしたが、たくさんの仲間が手伝ってくれたので、素敵なお店を作ることができました。今でも1号店を見るたびに、このお店を自分たちで手作りしたというのがいまだに信じらません。

町に新しい価値観を生み出す

コーヒーショップでの仕事は大好きです。サンフランシスコやポートランドで自分が経験したように、最高のコーヒーを楽しんでもらうと同時に、ローカルのコミュニティーと素晴らしい空間を共有したいんです。バリスタが腕をふるって、みんなに美味しいコーヒーを味わってもらい、展示スペースで僕が気に入ったアウトサイダー・アートや芸術作品を鑑賞してもらえるような、そんな場所を提供したい。僕たちが住んでいるボイジーは小さな田舎町だから、なかなか外の世界と触れ合う機会がないんです。僕らは町の外で作られた作品などを通して、自分たちとは違った物の見方や、魅力的な文化を知ることはとても大事なことだと思っているので、町の外で出会ったアーティストたちの作品展示などを積極的に行っています。まわりのみんなが僕らのお店で楽しそうに過ごしているのを見ると、理想としていたローカルとの関わり方ができていることを感じられるんです。それがこの仕事をする上で一番幸せな瞬間ですね。

やりたいことなら困難も甘受する

今のところコーヒーショップの経営は信じられないほど順調に進んでいます。自分でもこんなに上手く仕事が進むとは思っていなかったので、想定外に自分の大半の時間が仕事に取られている状態ではあります。うれしいことではあるのですが(笑)。唯一頭を悩ませているのは、流行に敏感な人たちに向けて、常に新しいものを提示しなければいけないことでしょうか。お客さんに満足いただくためには、常に自分たちから何かを提案していかなければいけません。ただ、そういった困難も僕はすべて受け入れて頑張ろうという気持ちでいつもいます。何かを得るためには苦労は付きものですから。それに、家族や仲間は、僕がどんなに突拍子もないことを思いついても、常に相談に乗ってくれて、協力をしてくれます。みんなの存在が僕にとってはとても大きいですね。関わる人、お店で働くスタッフが増えるにつれて、自ずと、みんなの生活や家族のことにも責任を感じるようになりました。僕も大人になってきたということなんでしょう（笑）。僕の仕事をする上でのロールモデルは父なんですが、彼は何事も一生懸命でショートカットをしない人なんです。それでも、遊び心と楽しむ気持ちを常に忘れずにいる。そんな父のように僕も働いて、みんなを上手く巻き込んでいきたいです。

人生は短い、今すぐ始めよう

コロナ禍の変化にも僕らはすぐに適応することができました。以前と比べてオンライン注文が増えましたが、テラス席は広く、前と変わらずお店でコーヒーを楽しんでいただけています。何か特殊なことをするよりは、とにかく目の前の仕事に打ち込んで前向きに考えながらやっています。ただ今回のコロナで、何事も当たり前だと思わず、明日にも世界がひっくり返ることが起こるんだぞということは肝に銘じておかなければいけないなと思いましたね。なので、転職を考えている人がもしいたら、「やりたいことがやれていないなら、今すぐ始めよう！」ということを伝えたいですね。人生は短く、何が起きてもおかしくないですから。

若者世代から町を盛り上げる

将来的には、もっとコーヒーショップを増やしていきたいです。ゆくゆくはアイダホ州外にもチェーンを拡大していこうと思っています。季節限定のドリンクだったり、スペシャルメニューを開発したり、夢は広がるばかりです。お店が大きくなるにつれて、関係者も増えるので、人のマネージメントやコミュニケーションは難しくなってくるだろうなと覚悟はしています。でも、お客さんはもちろんのこと、働いているチームのメンバーやベンダーたちにも来たいと思ってもらえる場所にしたいから、僕が思い描いてきたいいコミュニケーションが生まれるコーヒーショップというところを忘れずにお店を続けていきたいと思っています。それに、このボイジーの街が成長する上で今、非常に重要な節目にいると感じていて、僕らのような若い世代がローカルを盛り上げていく動きをする必要があると考えています。街の成長は簡単なことではなく、時間のかかることだとは思いますが、僕らの世代、さらに若い世代がより良い環境で暮らしていけるように、ローカルのコーヒーショップにしかできないスタンスで関わっていければと思います。

アイダホ州ボイジーの人気コーヒーショップ「Push & Pour Coffee」オーナー。WEB SITE www.pushandpour.com

POST SCRIPT

仕事は人生の「パートナー」

20代、仕事は僕の敵でした。自由な時間が奪われる、理不尽(だと当時は思っていた)に怒られる、雑用ばかりで面白くない。30代になり仕事は僕のパートナーになった。仕事をする中で一生付き合っていくだろう人たちと出会い、知らなかった世界へ僕を連れ出してくれた、さまざまな経験を通して成長させてくれました。僕にとっての仕事という存在がこんなにもガラッと印象が変わったのです。「それはいったいどのタイミングだったのだろう」思い返してみると、きっとそれは僕自身が自分の仕事と真摯に向き合うと決心したからだったように感じます。仕事と真正面から付き合い始めてから、仕事は僕にとってかけがえのないパートナーになったのです。

この本でインタビューに答えてくれた、さまざまな仕事に従事している21組全員が仕事と真剣に向き合いながら上手く付き合っていて、仕事を人生のパートナー、ライフワークとして位置づけているように感じました。この号を手に取ってくれた読者の中には、自分のしている仕事が何だかつまらない、今の仕事をこのまま続けていていいのだろうかと思っている人もきっといることでしょう。僕も同じような悩みを抱えていたので、その気持ちがとてもよく分かります。でも、一度仕事に真正面から向き合ってみると、あなたにとって仕事が違った存在になるかもしれません。

あとがきまでの21組のインタビューを読んでいただければ理解していただけると思いますが、この本には、ビジネス書のような「仕事をたくさんこなすタスク整理術」や「わずかな資本金でお金を儲ける方法」は書いてありません。でも、この本には、仕事にどうやって向き合えば、仕事とのいい関係が築けるのかという「ヒント」がたくさん散りばめられています。そのことが僕にはとても大事なことだと思ったのです。よくよく考えてみると僕らの生活の大半は仕事をしている時間です。一説には生涯労働時間は10万時間近いとも言われています。そんなに長い時間、僕らは仕事と付き合っていくのです。それならば、つまらない時間を過ごすよりも、できる限り充実した時間を過ごしたいと思いませんか。

人生の大きな転換期の30代。仕事は大きなトピックのひとつです。LUKE magazineが同時代を生きるサーティーエイジャーズたちにとってライフワークを見つけるための道しるべのように、なれたらうれしいです。

――LUKE MAGAZINE 木村慶

THIRTY-AGERS

30代の新しい歩き方。

20代は仕事に就き、周りの友達と毎晩のように遊んで過ごした。ふと気づくと30歳が目の前に迫っていた。職場には後輩もたくさん入ってきて、先輩面をしているけど、一人前になった気がしない。それに自分もまだまだ学びたいことがある。まわりの友達は結婚をしたり、仕事で成果をあげたり、上手くやっているように感じられて、ときどき自分だけが遅れをとっているようで不安な気持ちになる。目の前に突然現れた"30歳"という現実に自分の生き方を問われているようで戸惑う。

そんな言いようのない不安感を抱きながらも、目の前のことから目をそらさずに自分がやりたいことに向かって日々を過ごす。そんな風に30代を歩けたらとても格好いいと思わない？ LUKE magazineは30歳を迎えて自分の進むべき道を決心したサーティーンエイジャーズが集まる場所を作ろうと思う。30代でひたむきに夢を追う人、会社勤めをしながらも休日に思いっきり趣味に没頭する人、家庭をもって家族のために一所懸命働く人、学びたいことに出合ってもう一度学生を始める人etc.

さまざまなThirty-agersのストーリーをLUKE magazineでは紹介していくから、みんなの新しい30代の歩き方を考えるきっかけにしてほしい。

LUKE magazine

LUKE magazine

LUKE magazineのコンセプトは、「Thirty-agers（サーティーンエイジャーズ）」。「Thirty-agers」とは30歳「Thirty」と10代「Teenage」を組み合わせた造語です。30代になっても、10代の頃のように夢を追う熱い気持ちを持ち続ける人や、自分の進むべき道を決めて日々ひたむきに努力を重ねる人たちのことを「Thirty-agers」と名付けました。20代は立ち止まることなく走り続けた日々だったけど、30代は一旦立ち止まってこれからの自分のことを真剣に考えるようになるタイミング。LUKE magazineはそんな30代真っ只中の人、これから30歳を迎える人たちに「30代って最高だ!」と思ってもらえるメディアを目指しています。

"thirty-agers"
interview magazine
LUKE MAGAZINE
vol.3
2021冬 発行予定!

LUKE magazineと姉弟誌
anna magazineの要素を
詰め込んだ新しい形の
WEBメディア『Container』も展開中。
container-web.jp

大二郎酒場

「教育ってかっこいい」を発信するオンライン酒場。ノンアル参加の10代から素敵な60代まで、教育に関心のある人が、学校の先生が、企業の経営者が、人事担当者が、アナウンサーが、スポーツ選手が、思想家が、社会活動家が、日本だけでなく世界中から集い、教育という永遠のテーマを肴に杯を交わしあう。コロナ禍で生まれたこの社交場から、今後教育の世界を変えていく出来事が起こるとか起こらないとか。。。毎夜がドラマだ。店主／DAIJIRO　座右の銘は「今しかない俺しかいない」

https://www.facebook.com/groups/235850110974326/?ref=share

OHYA BASE

石の町・栃木県宇都宮市大谷町。低山につながる起伏に富んだフィールドから、地下採掘場跡地の地底湖まで。ここには「自然」と「人の営み」が作り出した特別な景色と豊富な資源がある。そんな大谷町で「大谷でできることを増やす場所」を目指す小さな複合施設がOHYA BASE。【遊ぶ】OHYA UNDERGROUDツアー、【食べる】OHYA FUN TABLE、【働く】コワーキングスペース、【過ごす】コーヒースタンド・ライブラリー、【借りる】レンタルスペース。OHYA BASEはアクティビティの出発点であり、ここで仕事をする人の基地であり、大谷観光の案内所でもある。かつて地域に愛された宴会場だった場所に、観光で訪れた人、大谷に暮らす人、大谷で働く人がそれぞれの目的で自由に出入りしている。

OHYA BASE | 〒321-0345 栃木県宇都宮市大谷町1240
@ohyabase

編集長
須藤亮（Mo-Green）

編集統括デスク
木村慶（Mo-Green）

編集
渡来大
松井美雪
石塚将也（Mo-Green）

編集アシスタント
仲道晴香
菱沼美優
諸角優英
桑本薫平（Mo-Green）

書店営業
後藤佑介
住友千之
（TWO VIRGINS）

PRディレクター
永尾智憲（Mo-Green）

アートディレクター
會澤明香（Mo-Green）

デザイナー
松本夏芽（Mo-Green）

クリエイティブディレクター
溝口加奈（Mo-Green）

LUKE MAGAZINE | SECOND ISSUE

Hello, Work!

僕たちの仕事論。

2021年7月30日発行

編集人・発行人——須藤亮

編集・発行所——Mo-Green co.,ltd.
〒150-0036 東京都渋谷区南平台町8-11
Mo-Greenビル2F
Tel 03-5738-7287
www.mo-green.net | container-web.jp
発売——株式会社トゥーヴァージンズ
〒102-0073 東京都千代田区九段北4-1-3
Tel 03-5212-7442 | www.twovirgins.jp
印刷——株式会社シナノ

ISBN978-4-908406-22-5